Victor Segalen

Équipée
Voyage
au Pays du Réel

Gallimard

Victor Segalen est né à Brest en 1878 et est mort à Huelgoat en 1919. Médecin de la marine, il séjourna en Océanie et surtout en Chine, où il devait trouver son inspiration majeure : un monde mi-réel mi-rêvé dont la confrontation produit cette œuvre poétique, non dépourvue d'ironie : *Les Immémoriaux, Stèles, Peintures, René Leys.*

« Mon voyage prend décidément pour moi la valeur d'une expérience sincère : confrontation, sur le *terrain,* de l'imaginaire et du réel : la montagne vue par le " Poète ", et la même, escaladée par celui à qui elle barre la route et qui trouvera, de l'autre côté du col, après dix heures d'étapes, à manger, à dormir, et peut-être (mais s'en préoccupe-t-il ?) le bien-être surajouté d'un beau spectacle... Et le fleuve, couru sur ses eaux, et non pas sur une carte, de la source à l'embouchure...

« Ensuite, j'aurai acquis, je l'espère, le droit à me prononcer : au moins à incliner du côté fictif — souvenirs et combinaisons de tête — quand mes os et mes muscles auront donné ce qu'ils doivent. Je vais chercher, au prix de dix mois d'efforts et de courses, le droit personnel au repos replié, à la longue méditation concentrique, sans but. Même le prétentieux de ces mots se pardonne au regard du concret de ce qui va suivre.

« Ce concret s'annonce bien : un fort beau voyage. Quatre mois durant, l'inconnu dans le temps : le passé, à prendre sur le fait ; cinq mois ensuite : l'espace à définir dans des petits dessins. Vous connaissez déjà Voisins. Notre troisième compagnon est tout autant des nôtres : c'est Jean Lartigue, votre fervent, esprit recueilli dans un corps plein de jeunesse franche. Peu de gens se seront aussi bien entendus dès le départ ; mieux, aimés franchement, et par expérience. » (Victor Segalen, Lettre à Jules de Gaultier, Péking, 11 janvier 1914.)

L'ouvrage a été publié pour la première fois en 1929, dix ans après la mort de l'écrivain.

À JULES DE GAULTIER

1.

J'AI TOUJOURS TENU POUR SUS-
PECTS ou illusoires des récits de ce genre : récits
d'aventures, feuilles de route, racontars — joufflus
de mots sincères — d'actes qu'on affirmait avoir
commis dans des lieux bien précisés, au long de jours
catalogués.

C'est pourtant un récit de ce genre, récit de voyage
et d'aventures, que ce livre propose dans ses pages
mesurées, mises bout à bout comme des étapes. Mais
qu'on le sache : le voyage n'est pas accompli encore.
Le départ n'est pas donné. Tout est immobile et
suspendu. On peut à volonté fermer ce livre et
s'affranchir de ce qui suit. Que l'on ne croie point,
du même geste, s'affranchir de ce problème, —
doute fervent et pénétrant qui doit remplir les
moindres mots ici comme le sang les plus petits
vaisseaux et jusqu'à la pulpe sous l'ongle, – et qui
s'impose ainsi : l'imaginaire déchoit-il ou se renforce
quand il se confronte au réel ? Le réel n'aurait-il
point lui-même sa grande saveur et sa joie ?

Car ces deux mondes s'attribuent tour à tour la seule existence. Ils restent si étranges l'un à l'autre, que les représentants humains, les disciples en la chair desquels ils s'incarnent, s'efforcent de se fuir plutôt que de se chercher et de combattre. Ce qui, supprimant tout conflit, permet aux deux partis de se croire vainqueurs.

Et ils éconduisent ainsi l'un des moments mystérieux les plus divinisables par la qualité d'exotisme qu'il contient, sa puissance du Divers. Et cependant la plupart des objets dans ces deux mondes sont communs. Il n'était pas nécessaire, pour en obtenir le choc, de recourir à l'épisode périmé d'un voyage, ni de se mouvoir à l'extrême pour être témoin d'un duel qui est toujours là.

Certes. Mais l'épisode et la mise en scène du voyage, mieux que tout autre subterfuge, permettent ce corps à corps rapide, brutal, impitoyable, et marquent mieux chacun des coups. La loi d'exotisme et sa formule — comme d'une esthétique du divers — se sont d'abord dégagées d'une opposition concrète et rude : celle des climats et des races. De même, par le mécanisme quotidien de la route, l'opposition sera flagrante entre ces deux mondes : celui que l'on pense et celui que l'on heurte, ce qu'on rêve et ce que l'on fait, entre ce qu'on désire et cela que l'on obtient ; entre la cime conquise par une métaphore et l'altitude lourdement gagnée par les jambes ; entre le fleuve coulant dans les alexandrins longs, et l'eau qui dévale vers la mer et qui noie ; entre la danse ailée de l'idée, — et le rude piétinement de la route ; tous

12

objets dont s'aperçoit le double jeu, soit qu'un écrivain s'en empare en voyageant dans le monde des mots, soit qu'un voyageur, verbalisant parfois contre son gré, les décrive ou les évalue.

Ce livre ne veut donc être ni le poème d'un voyage, ni le journal de route d'un rêve vagabond. Cette fois, portant le conflit au moment de l'acte, refusant de séparer, au pied du mont, le poète de l'alpiniste, et, sur le fleuve, l'écrivain du marinier, et, sur la plaine, le peintre et l'arpenteur ou le pèlerin du topographe, se proposant de saisir au même instant la joie dans les muscles, dans les yeux, dans la pensée, dans le rêve, — il n'est ici question que de chercher en quelles mystérieuses cavernes du profond de l'humain ces mondes divers peuvent s'unir et se renforcent à la plénitude.

Ou bien, si décidément ils se nuisent, se détruisent jusqu'au choix impérieux d'un seul d'entre eux, — sans préjuger duquel d'entre eux, — et s'il faut, au retour de cette Equipée dans le Réel, renoncer au double jeu plein de promesse sans quoi l'homme vivant n'est plus corps, ou n'est plus esprit.

les deux mondes s'unir.

ou

se détruisent

2.

CE N'EST POINT AU HASARD que doit se dessiner le voyage. A toute expérience humaine il faut un bon tremplin terrestre. Un logique itinéraire est exigé, afin de partir, non pas à l'aventure, mais vers de belles aventures. Je devrai surtout me garder de l'incessante rumination du problème posé : le bon marcheur va son train sans interroger à chaque pas sa semelle.

Pour que l'expertise déploie toute sa valeur et qu'au retour aucun doute ne soit laissé dans l'ombre, pour que ce voyage étrangle toute nostalgie et tout scrupule, il le faudra compréhensif, morcelé sous sa marche simple. La route fuyant tout subterfuge mécanique, et relevant des seuls muscles animaux, devra tour à tour s'étaler droit jusqu'à franchir l'horizon à dix lieues de vue sur la plaine, ou se rompre et strier la montagne de festons et de lacs. Elle s'embourbera dans des marais, passera des rivières à gué, ou bien se desséchera dans les roches. Il ne faut point choisir un climat unique. Il sera bon

14

d'avoir tantôt froid, et si froid dans un vent terrestre, que tout souvenir du chaud et de la brise de mer soit perdu, et tantôt il fera lourdement tiède dans des vallées suantes, si bien que le goût du froid sec soit oublié. Les cours d'eau n'auront pas un seul régime, mais grossiront depuis le torrent ivre et bruyant, toujours ébouriffé de sa chute jusqu'au vaste fleuve qui prolonge sa course très au large dans la mer où il lave sa couleur et dépose ses troubles avec calme. Les provinces traversées seront parfois désertes, et taillées dans un terrain décomposé que dix mille années d'âge n'expliquent pas, et parfois d'autres seront si bien peuplées que la riche terre plus rouge que l'ocre et plus grasse que l'argile s'épuisera plusieurs fois dans l'année à nourrir sa vermine sale, mais pensante, ses laboureurs et ses fonctionnaires. Il sera digne de pousser quelques étapes dans un sol gros de souvenirs antiques, dans une Egypte moins fouillée, moins excavée, moins retournée; dans une Assyrie plus élégante et moins musclée, dans une Perse moins levantine. — D'autres régions seront neuves, sauvages, simples et touffues comme une mêlée de nègres sans histoire, comme un congrès de tribus qui, n'ayant pas encore de noms européens, ne savent même pas celui qu'elles se donnent. Enfin, cette contrée, touchant au pôle par sa tête, suçant par ses racines les fruits doux et ambrés des tropiques, s'étendra d'un grand océan à un grand plateau montagneux. Or, le seul pays étalé sous le ciel, et qui satisfasse à la fois ces propositions paradoxales, balancées, harmonieuses dans leurs extrêmes, est indiscutablement : la Chine.

C'est donc à travers la Chine, — grosse impératrice d'Asie, pays du réel réalisé depuis quatre mille ans, — que ce voyage se fera. Mais n'être dupe ni du voyage, ni du pays, ni du quotidien pittoresque, ni de soi ! La mise en route et les gestes et les cris au départ, et l'avancée, les porteurs, les chevaux, les mules et les chars, les jonques pansues sur les fleuves, toute la séquelle déployée, auront moins pour but de me porter vers le but que de faire incessamment éclater ce débat, doute fervent et pénétrant qui, pour la seconde fois, se propose : l'Imaginaire déchoit-il ou se renforce quand on le confronte au Réel ?

3.

CAR J'HABITE UNE CHAMBRE AUX
PORCELAINES, un palais dur et brillant où
l'Imaginaire se plaît. Ceci n'est pas un symbole, ni
jeu de mots. Plus tard aurai-je le désir de les peser
avant de les écrire. Dès longtemps je posais tout ce
que vaut ceci : un Palais Imaginaire. Et non pas que
ce qui m'entoure soit impalpable et tramé de raclures
de pensée ruminée... Et non pas que les formes
changent, bien que les couleurs s'irisent dans un air
sans volume ! Mais tout est fait, dans ma chambre
aux porcelaines, tout est fait de matière substanciée,
de belle et positive matière délitée, broyée, mouillée
et pétrie, puis durcie dans des panses et des rondeurs
et des galbes que l'on peut briser en miettes, mais
non pas déformer. Et les gestes, rares dans ce lieu
peu hospitalier, occupent cependant les recoins
lacunaires de ces appartements, ayant fait l'expertise
des creux et des reliefs. C'est avant tout une chambre
close et réfractaire, un abri bien protégé, revêtu de la

17

sœur minérale du plus aigre des métaux, l'acier : —
la porcelaine.

Cette chambre, pourtant, n'est pas si close que
jusqu'ici ne soient venus se glisser des scrupules, et le
doute tortilleux avec sa portée de vipéraux... Si tout
cet attirail de couleurs transparentes a sa valeur
d'exister, ou non... Si quelque geste, brutalement
asséné dans la réalité des gestes et des jours ne vaut
pas toute longue méditation... Doutes seulement.
De mauvais doutes, qu'il faut bien tuer à l'usage...
Ou peut-être déclarer d'avance victorieux ? — Et ce
dernier est le pire de tous.

C'est pour en finir avec cela et l'emprise du bon
gros Réel, que je me dépars ainsi de ce pays peuplé
de couleurs immobiles et des seules musiques. Plus
tard, revenu dans ma maison luisante, je songerai
sans doutes, alors, qu'immobile, j'ai acquis mes
droits au non-agir, si ce n'est au fond de moi ; — et
que, méditant, imaginant, j'ai payé de mes muscles
ce repos intérieur, cet enfermé d'où les scrupules
d'un dehors savoureux possible me chassent.

Ceci de neuf est le but à ma prochaine agitation :
la *même* chambre aux Porcelaines, mais acquise et
conquise par elle, à jamais. Je pars et m'agite dans
l'espoir seulement du retour enrichi. Les mules, les
chars, les chevaux et les hommes de bât auront moins
pour moi de valeur à passer les montagnes, qu'à me
passer par-dessus ce col rocailleux : si le Réel avait
aussi sa valeur verbale et son goût ?

4.

TOUT EST PRÊT, MAIS AI-JE BIEN
LE DROIT de partir ? Constructeur jusqu'ici dans
l'imaginaire, conjureur de ces matériaux impondéra-
bles et gonflants, les mots, — ai-je bien le droit de
bâtir dans le monde dense et sensible, où tout effort
et toute création, ne relevant plus seulement d'une
harmonie intime doivent trouver leur justification
dans le résultat, dans le fait, — ou leur démenti sans
appel...
Pris d'un doute plus fort que tous les autres, pris
tout d'un coup du vertige et de l'angoisse du réel, je
rappelle et j'interroge un à un les éléments précis sur
quoi s'établit l'avenir. Ce sont des relations de
voyage, (des mots encore), des cartes géographiques
— purs symboles, et provisoires, car des districts
entiers sont inconnus là où je vais. Il y a donc les
chenilles sépia des montagnes ; des traits rouges
pleins, qui sont des sentiers méprisables puisqu'ils
ont été déjà suivis, et des traits rouges pointillés qui
marquent à l'aventure les routes ouvertes, inexistan-

19

tes peut-être. Des traits bleus qui dessinent les fleuves ; des traits verts représentant les limites des provinces ou des Etats. Quelle sera la possibilité de franchir l'un ou de sauter l'autre ? Le fleuve a peut-être un pont ici ; et la frontière politique un prétexte à n'être pas enjambée. Enfin, il y a le problème de pure longueur dans l'espace que tout ce chemin représente. Et voici la roulette d'acier du curvimètre qui se tortille et virevolte entre mes doigts, progressant terriblement vite sur son axe enspiralé. Elle fait sa route avant moi, et puis, reportée sur la barre rigide de l'échelle, elle donne, sans commentaires, des mesures précises, précises au centième, — mais fausses : car, pour un détour du trait sur la carte, la route en a peut-être fait deux sur la plaine, et dix et vingt sur la montagne. Et quel rapport logique accepter entre l'espace, la sueur et la chaleur, la fatigue et l'entrain, la hâte à poursuivre ou le désir du retour en arrière ? Rien n'a été mesuré sur ce point, — rien qui unisse le jeu du curvimètre dans mes doigts, et la grande agitation musculaire qui suivra.

Enfin, toute question et toute incertitude sont portées à l'extrême lorsque, délaissant les parties dessinées de cette carte, — honnête et sincère puisqu'elle avoue ses ignorances, — on s'aventure dans ses zones laissées en blanc. Là, ni fleuves, ni routes, ni plaines, ni montagnes. C'est là pourtant où l'expérience du réel traversera son domaine de choix. — Pour dompter et dessiner d'avance ce que l'on trouvera dans ce blanc, vais-je déjà retomber

20

dans l'imaginaire à peine fui ? Pour le combler, faut-il inventer d'autorité ce qu'il contient, et puis en rabattre ensuite ? Je sais. Il y a d'autres attitudes. De ce que l'on connaît exister alentour on peut *déduire* ce qui se doit être ici. Mais dès lors, à la merci de la moindre erreur déductive. Le coup d'envol imaginaire se suffit jusqu'au bout à lui-même : la mastication logique a péché contre l'esprit, si elle a tort.

Il ne faudra point avoir tort. Derrière ces mots, derrière ces signes figurés, étalés conventionnellement sur le plan fictif d'un papier, il me faudra deviner ce qui se trouve très réellement en volumes, en pierre et en terre, en montagnes et eaux dans une contrée précisée du monde géographique. Et l'abondance et le disparate de ces notions, et l'absence de commune mesure humaine est un grand sujet de trouble : il y a des cotes d'étiage dans le fleuve, des dates historiques dans la fonte des neiges à mille lieues du point où je vais ; des habitudes connues dans le régime des vents ; il faut échapper aux trop excessifs coups de froid dans les montagnes et se garder encore plus des régions pluvieuses en plaine... voir si des gens d'escorte du pays même valent mieux que des étrangers au pays ; — les étrangers, plus fidèles, seront un fardeau de plus à traîner ; — voir si l'escorte doit changer en totalité à chaque frontière de province, ou s'il faut conserver un noyau unique que l'on mènera de Péking à Bénarès... Et qui me portera ? Des chevaux, des chameaux, des ânes, des hommes, des mules, ou mes pieds ? Chacun peut-être, tour à tour, mais dans quel ordre ? Il y a aussi cette importante et importune question d'argent. Faut-il me faire précéder sur la route de relais de lingots sonnants? Par quels ravitailleurs, gros marchands chinois ou missionnaires apostoliques? Faut-il emporter des objets d'échange pour les habitants problématiques des régions inconnues? — Vient enfin l'approvisionnement en armes. Ne pas en avoir est folie. Montrer qu'on est bien muni est provoquer l'envie du pillage... Même au prix de ces comparaisons minutieuses, j'entrevois à peine ce qui viendra. Et cependant il faut faire plus : prévoir. Il faut tout prévoir. Ce n'est pas un livre que j'écris.

De nouveau, je suis face à face avec l'interrogation première : quelle est, prise sur le fait, la concordance entre la notion et son objet. Où est le lien, où est le lieu de certitude — ou d'angoisse — du réel?

Dès maintenant, je puis tenir que le réel imaginé est terrible, et le plus gros des épouvantails à faire peur. Rien ne dépasse l'effroi d'un rêve de cette nuit, veille du départ. Il me faut donc m'éveiller tout d'un coup :

Je suis en route.

5.

LES PAS SUR LA ROUTE sont bons et élastiques. A peine hors du gîte, la route d'elle-même — absorbée au loin par l'horizon contourné — semble se mettre en marche, et me tire. La distance n'existe pas encore. Il ne suffit pas de marcher, on veut courir, ni de courir, on sauterait à droite et à gauche, volontiers. Au bout d'un certain nombre d'heures semblables, l'allure change : on s'avoue qu'il est indispensable d'apprendre à marcher long-temps et droit.

La nuit vient avant la fatigue. On s'endort, heureux que le lendemain s'annonce fidèle à ce jour-ci. L'aube vient, avant le réveil. On ne s'étire pas : on est debout. Mais l'avancée est plus sage et plus prudente. Et l'on s'enquiert de la distance. Il ne peut être question de mesures rigides, ni de jalonner la route de segments équivalents. Le système occidental serait à la fois ici un manque de goût d'exotisme, et une raison d'erreurs locales : il ne faut pas compter

en kilomètres, ni en milles ni en lieues, — mais en
« li ».

C'est une admirable grandeur. Souple et diverse,
elle croît ou s'accourcit pour les besoins du piéton. Si
la route monte et s'escarpe, le « li » se fait petit et
discret. Il s'allonge dès qu'il est naturel qu'on
allonge le pas. Il y a des li pour la plaine, et des li de
montagne. Un li pour l'ascension, et un autre pour la
descente. Les retards ou les obstacles naturels,
comme les gués ou les ponts à péage, comptent pour
un certain nombre de li. — Ceci n'a donc point
d'équivalent dans la longueur géométrique, mais se
conçoit fort bien dans la mesure humaine du temps
et du jour : « *dix li* » c'est à peu près ce qu'un
homme, ni hâtif ni lent, abat à son pas en une heure,
dans la plaine.

Je le sais. Au bout d'une heure je demande :
« Combien de li ? » Au moins douze, répondent les
gens. Nouvel entrain, et nouvelles gambades. Mais il
faut bientôt en rabattre. Je ne suis plus. Je monte à
cheval. La bête est nerveuse, ou déjà lasse ? L'étape
arrive à point pour ne pas se faire attendre. —
D'autres jours mes pas se feront plus méthodiques.
L'en-allée dansante se restreint. Les gestes immodes-
tes s'atténuent. Je compose entre la courbature et
l'appétit grandissant, et le plaisir d'être si bien en
selle, et la chaise en l'auberge du soir. Puis, les jours
se dépassent bout à bout. Je sais mieux voyager à
mesure que cette antique et périmée notion du jour
disparaît devant l'autre, impérieuse, d'*étape,* souvent
prolongée dans la nuit.

24

L'Étape devient reine du temps bien employé sur la route. Elle s'impose, non plus sur un monde immobile attentif aux astres tournants, mais sur les animaux en marche, respectueux de la litière. L'étape est catégorique et se suffit. Le but premier — imaginaire ! — sonne creux dans le lointain, comme des grelots de mules sur des harnais vides... Comme il s'efface devant le réel quotidien, qui pourtant progresse puissamment vers lui ! Il importe peu vers quoi l'on marchait depuis ce matin, si, à l'arrêt dans cette étape, on prend conscience, plein les reins et plein les muscles, d'avoir « bien marché tout aujourd'hui ».

6.

L'INDISPENSABLE PETIT DIEU DU VOYAGE est un petit vieux à tête ronde, au corps gras, mais transparent et tout doré, fumé, avec des reflets de suie dans un soleil d'orage. Ses pieds engoncés par cette robe impalpable, il ne peut marcher, mais doit être porté sur soi qui marche... — ou, de lui-même et d'un jet, il s'élance dans de la lumière. Le manteau qui le vêt l'informe sans déceler des membres... peut-être absents. Car un dieu n'a pas absolument besoin de singer l'homme. Ou, s'il s'incarne dans nos membres, qu'il se pousse alors plus de deux bras et deux jambes... dix à douze, autour des épaules et des reins, afin de mieux faire sa roue ! Cependant, on devine au plissé des manches que peut-être des mains et des doigts se crispent sur la poitrine, à l'entour du creux du cœur. Car il n'a pas de cœur. Il n'est pas sentimental. Assez long-temps le cœur fut l'organe de l'amour. On avait à choisir ainsi : paroles du cœur ou mots d'esprit. — Il est temps de refaire l'anatomie humaine des dieux.

On n'a jamais osé diviniser le cerveau, et c'est tant mieux ainsi : le cerveau pèse dans le crâne ; le cerveau habite dans le crâne. C'est un emmuré ; un encrâné. Mais à qui ou à quoi rattacher le sentiment Autre, le sentiment inconnu. Surtout ! pas à un viscère, organe ou boyau ! C'est une lueur dans les muscles, un moment d'or vert dans les yeux durs, et mon petit dieu est lumière et splendeur ironique... Son visage est un ricanement rond, ridé et pommelé. Il n'inspire, à tout prendre, aucune piété reconnue.

Je ne sais si l'outil qui le tailla eut dessein d'en faire un apôtre bouddhiste à la Chine, ou bien un sage du Tao. J'ai foi entière qu'il n'a jamais eu vent des apologues judaïques, ni de Jésus. Il n'importe. Les adorations et les idoles n'ont pas de formes bien précises, malgré les canons et les rites. Je lui dédierai donc les sentiments les plus inattendus. Justement, fort à propos, au plein centre de la ronde bille, en plein crâne, Ciel de la pensée, brille un espace que les jeux de la lumière font clair, invitant à y loger toute sorte de pensée mobile et fugitive... C'est un bon petit dieu de poche et de voyage. L'indispensable accessoire du vagabond que je deviens. Vide de dogmes, il sera plus léger à mes mules. Je lui attribuerai des décisions divines qui passeront comme un éclair du Sinaï de ma tête dans la sienne ; et que je rétracterai par de nouveaux et successifs Testaments. Mais, grâce à la riche matière dont il est fait, je sais bien que tout cela sera de la couleur d'un or fuligineux, — cristal fumé doré, cristal chaud, lacunaire, et passionné sous son éclat de glace.

7.

ME VOICI ENFIN À PIED D'ŒUVRE,
au pied du mont qu'il faut gravir. J'entends *souffler*
de grands mots assomptionnels ; et le vent des cimes,
et la contemplation de la vallée, la conquête de
la hauteur, le coup d'aile... Cette exaltation vaudra-
t-elle, à l'expertise, un seul coup de jambes sur le
roc ? Je suis bel et bien au pied du mont. Du poète
ou de l'alpiniste, lequel portera l'autre ou s'essouf-
flera le plus vite ?

Déjà je m'aperçois que l'un et l'autre ont été
prévenus, dépassés, devancés. Cette montagne a déjà
servi. La vierge cime n'est plus impénétrée. Beau
début pour le poète, qui, laissé libre, renâclerait tout
aussitôt. N'importe : l'autre marche et va bon train
dans le sentier. Le sentier, qui ne monte nullement
tout d'abord, mais revient vers la vallée. Il faut donc
accepter la route piétinée, même descendante, — car
il n'y en a point d'autre, mais déjà elle se relève et
prend un élan recueilli. Que c'est allégeant de
monter, de sentir le poids du corps soupesé, lancé,

gagné à chaque pas... Même je le lance un peu plus fort et un peu plus haut qu'il n'est besoin...

Et pourquoi ne pas monter tout d'un coup et courir tout d'une traite ? et d'un bon coup de talon dompter l'obstacle élastique et portant ? L'idée en est si bonne que je la suis, et perds le chemin. Je me débats dans des buissons piquants où les clochettes des mules méthodiques me rejoignent. A cent pas d'ici, sur la bonne route, les mules montent, passent et s'en vont de leur effort quotidien : deux cents livres, douze heures durant ; et je ne porte rien que mon corps. Je n'ai aucune grâce à sauter ainsi à l'aventure. Je les suivrai.

Mais, où vont-elles ? La cime à surmonter est droit au sud... et les voilà pointant vers des cardinaux moins nobles... J'arrête net tout le convoi.

— Où va-t-on ?

Et le chef des muletiers me montre bien le sud, que couronne le grand astre de midi.

— Alors, pourquoi pas droit au sud ?

Il ne sourit pas et disparaît obliquement. Il prend l'obstacle à la détournée... Le laisser aller ? Lui dire qu'il me trompe dans mon jeu franc ? Qu'il tourne le problème pour lequel je me suis rendu ici ?

« Se rendre ! » N'interrogeons plus les mots ou bien ils crèveront de rire d'avoir été gonflés de tant de sens encombrants... Cet homme s'en va noblement par ses chemins tortueux... Mais j'imaginais tout autre la domination divine de la montagne : jeter un pont d'air brillant de glace et planer en

respirant si puissamment que chaque haleinée soulève et porte... Je n'en suis pas encore là...

J'ai peut-être confondu des verbes différents :
« ascension, assomption... » ? Quel jeu médiocre de
mots ! Une majuscule... un radical et voici les
mêmes syllabes qui peignent l'envolée aux Cieux
d'un dieu désincarné, enlevant d'un jet son corps
glorieux pendant qu'une dalle de tombeau se renverse, et que des soldats casqués se frottent les
paupières... et que dire de l'autre : assomption !

Je dois témoigner pourtant que ces mots comme
tous autres ont leur vertu allégeante. Cependant que
je les rumine, ils ont manifesté vraiment la valeur de
leurs fonctions antiques... Me voici, sans m'en
douter, beaucoup plus haut qu'au départ.

Pour en être certain, il me faut consulter le
baromètre. Cette grosse montre sans heures sera
désormais le témoin de mes « élévations ». Il marque 2 700. Je suis parti de 520. Je sais d'avance qu'il
faut atteindre 3 003. La préciosité méticuleuse de ces
chiffres me déconcerte. Cependant je ne puis m'en
détacher. Ce n'est plus la route devant moi, ni la
vallée peut-être splendide et que je ne verrai plus ; —
mais le cadran bien divisé que je regarde et dévisage à
presque chaque pas. Il n'y a plus que 200... plus que
150... plus que 130... ceci est mécanique et précis.
En même temps, mon cœur, ma poitrine et ma tête
oscillante ont compris le jeu de la montée et
mesurent juste leur régime.

J'entends à peine le cœur me battre dans les
tempes. Je souffle moins, et je ne pense presque

plus. Les genoux, et les cuisses, qui avaient tout d'un coup pris une importance énorme, redeviennent poulies glissantes et lanières vivantes. — Et mes yeux, détournés de voir, s'intéressent exclusivement aux mouvements cycliques, horaire de gare, banal indicateur d'une aiguille sur un cadran... et si, pour m'en affranchir, je renverse le cou sur la nuque — mouvement inutile et douloureux — pour essayer de deviner où je vais... je n'aperçois qu'un fouillis de fourrés, sur un plan vert concave, entouré de tous côtés par des hauteurs peut-être dominées par d'autres... sans plus de traces de but ni de sentier... ni du point d'où je pourrai, — parvenu à l'autre versant, — jeter enfin ce regard par-dessus le col...

8.

LE REGARD PAR-DESSUS LE COL n'est rien d'autre qu'un coup d'œil ; — mais si gonflé de plénitude que l'on ne peut séparer le triomphe des mots pour le dire, du triomphe dans les muscles satisfaits, ni ce que l'on voit de ce que l'on respire. Un instant, — oui, mais total. Et la montagne aurait cela pour raison d'être qu'il faudrait se garder d'en nier l'utilité pesante. Tout le détour de l'escalade, le déconvenu des moyens employés — ces rancunes sont jetées par-dessus l'épaule, en arrière. Rien n'existe en ce moment que ce moment lui-même.

Quelques pas avant d'y atteindre, et l'on s'avoue encore très dominé, très surmonté. Le sentier, qui n'a plus raison d'être fourbe, bute contre la hauteur qu'il doit enfin aborder franchement. Il ne faut pas renverser la tête en arrière et devancer du bond des yeux la marche enfin rythmique obtenue : il vaut mieux fixer les yeux sur ses pieds que dans le ciel. Ce sont des conseils de route, et vulgaires. Mais, atteindre le but au hasard est plus déconcertant que le manquer, et l'on sait à quel étonnement cela conduit. Il faut saisir le but dans un équilibre tel que l'ampleur en soit balancée et conquise ; il faut rester digne de lui : ni trop reposé jusqu'à l'oubli de la dépense, encore moins époumoné, ni épuisé — mais dans cet état désirable où la fatigue est plus que surmontée : dépassée ; dans cette ivresse palpitante et dynamique où le corps entier jouit de lui : les orteils, écarquillés comme dans le geste des sculptures antiques, se dilatent dans les sandales serrées aux chevilles... les épaules et la tête pèsent juste ce qu'il faut sur le dos, et les tempes battent d'allégresse, et le cerveau fiévreux de joie se comprend et se conçoit comme un organe heureux de vivre et digérant avec vigueur sa pensée... Alors, ne pas s'élancer, ne pas s'arrêter, mais donner à point le dernier coup de reins pour s'affermir sur la hauteur conquise, et regarder. Regarder avant, en respirant à son aise, en renforçant tout ce qui bourdonne des orgues puissantes et de la symphonie du sang, des humeurs mouvantes dans la statue de peau voluptueuse. C'est ainsi que la possession visuelle des lointains étrangers se nourrit de joie substantielle. C'est la vue sur la terre promise, mais conquise par soi, et que nul dieu ne pourra escamoter : — un moment humain.

Un moment magique : l'obstacle a crevé. La pesanteur se traite de haut. La montagne est surmontée, la muraille démurée. Le lieu borné n'a plus tout d'un coup d'autres bornes que la feinte prolongée de l'horizon. Deux versants se sont écartés avec noblesse pour laisser voir, dans un triangle étendu aux confins, l'arrière-plan d'un arrière-monde.

C'est tout à fait un autre monde. L'on grimpait jusque-là dans les étroits fourrés humides où des sources pétillent partout, avec l'angoisse, inverse de la soif — le supplice de l'eau — d'avoir plus à boire que l'on a soif. L'on heurtait souvent un versant vertical trop proche, et collé sur les yeux, mais voici que derrière le col, la large vallée descendante recule ses flancs creux et roses, ses flancs désertiques, desséchés par un autre régime des vents et du soleil. C'est, de nouveau, la promesse haletante de désirs altérés, l'espoir de tendre vers la source — que l'abondance des sources avait tari. C'est aussi la transmutation dans l'effort. Ayant, jusqu'ici, tout fait pour élever son corps, l'ayant porté à chaque pas, c'est maintenant le corps qui se déverse, chute et entraîne. L'effort change bout pour bout comme un sablier. Les genoux qui soulevaient vont recevoir. Les jarrets actifs se font amortisseurs. Les bras nagent dans un équilibre entrecoupé de cascade, et le regard, précurseur aux bonds de dix lieues, plane et se pose à volonté sur cet espace. Ceci est peut-être le symbole physique de la joie ? La descente aurait-elle plus de joie que l'effort à la hauteur, et cette vertu paradoxale de prolonger ce moment essentiellement bref : le regard par-dessus le col ?

Non. La descente est une chute déguisée, entrecoupée, et sans même la beauté du vertige. La dévalée n'est qu'un emprunt au saut de chèvre, une glissade raccrochée aux pierres et aux ronces. Descendre est voisin de déchoir. Et rien ne vaut ce que j'imaginais. Vite, les mouvements nouveaux, répétés et identiques, deviennent insupportables. Les genoux se font douloureux, les chevilles tournent et vacillent si je ne crispe la jambe pour éviter, à chaque pas, le faux pas. Alors, le moindre bout de sentier plat est reposant, et agréable, et, s'il remonte, fait regretter tous les mérites de l'effort ascensionnel. Même, si la route n'était point la route, c'est-à-dire impérieusement tendue vers ce point imaginaire, — hors des monts et des ravins, — l'autre but, volontiers je me retournerais vers la hauteur d'où je dévale pour escalader à rebours et regagner le col. Le dévers a compensé et mis en valeur balancée la puissance montante de l'avers, et démontré surtout l'incomparable harmonie, la plénitude, l'inouï de ce moment fait de contraires, le premier regard par-dessus le col.

9.

LE FLEUVE DISPUTE À LA MONTA-
GNE d'avoir inspiré tant de poètes... Le fleuve,
bien plus que la montagne, semble posséder son
existence symbolique et sa personnalité. Il est
simple, et part d'une source et s'en va par des détours
nombreux très infailliblement à la mer. C'est du
moins ce que pensaient tous les poètes, et quelques
prosateurs moralistes : « Les vertus se perdent dans
l'intérêt, comme les fleurs, etc. » Mais mil huit
cent seize ans avant cet aphorisme, déjà périmé, un
historien de la Chine prêtait à un ambassadeur cette
image : « L'Eau du Fleuve vénère, et au bout de sa
course, va saluer l'Eau de l'Océan. De même je viens
saluer Votre Grandeur, Vaste comme la Mer. »
Depuis lors, des voyages plus précis, ou encore des
variations dans l'humidité des climats ont montré
que tous les fleuves ne s'en vont pas infailliblement à
la mer. Le Tarim est le drain malheureux d'un bassin
clos. Nourri de sources logées dans les hautes
altitudes, il inonde largement des prairies, dans

l'Asie centrale, et finit lamentablement par se perdre dans les sables.

Ceci dit, il faut reconnaître que le fleuve, bien plus que la mer, est un lieu poétique par excellence. Un poète ne s'improvise pas un marin ; — lesquels ont déjà leurs habitudes, leur vocabulaire, leurs *usages* dans les mots, dans les gestes pratiques ou lyriques. Un peintre, qui happe d'un coup d'œil les manies d'un homme en mouvement, est souvent bien ridicule à saisir le gonflement de la peau de la mer, et reste longtemps impuissant à *voir* dans sa véritable allure, un bateau. Mais le Fleuve, par son existence fluidique, ordonnée, contenue, donnant l'impression de la Cause, du Désir, est accessible à tous les amants de la vie. Là-dessus, l'ignorance marine est pardonnable. Il n'y a plus de houle ni de vents réguliers ; pas de courants plats et bleus, mais un « sens », indépendant des cardinaux, et, de toute part, des mouvements d'eaux qui tiennent bien plus du courant et du remous aérien, que de la pulsation formidable, connue, de la grande Marine.

Le fleuve est plus moral que la mer « informe et multiforme ». On peut même, si l'on vise à son embouchure, lui prêter un « vouloir vaincre » des montagnes. Quand on le suit, — si l'embouchure, comme il en arrive maintenant, est connue, on est certain d'arriver au but avec lui, d'arriver paresseusement au but avec lui.

C'est un des points où le Réel et l'Imaginaire ne s'opposent pas, véritablement, mais s'accordent. — J'ai dit, j'ai senti, j'ai sué déjà sur ces mots : que l'ascension trop dure n'allège plus et n'est pas un envol dans les cieux. Mais, pilotes du Yang-tseu et Poètes s'accorderont toujours sur les deux mouvements suivants : la Descente, au fil de l'eau, est un enchantement paresseux, délicat et bref, parfois périlleux au-delà de tout effort. — La remontée « à la cordelle », le bateau halé durement par trois cents coolies maigres et nus qui piétinent, est un sport, une aventure non moins reposante pour l'habitant de la jonque, mais d'une image, d'une sensation toute différente. Qu'on fasse de ses mains l'effort ou non, le sens du fleuve est bien là : d'abord, l'eau qui mène tout, le femelle abandon de tout son corps à quelque chose de plus grand que soi, de plus long que soi, dont les secousses ne se commandent pas mais se subissent. — Et, s'il s'agit de remontée, la domination mâle, obstinée, de l'élément *eau* redevenu femme et fluide, souple et fugitive, et, sur la poitrine et le bateau le bouillonnement des milliers de petites luttes, sans cesse gagnées.

Le plus extraordinaire des visionnaires marins, Arthur Rimbaud, dont le *Bateau ivre* n'a pas une défaillance marine, a néanmoins passé très vite sur le Fleuve. Et pourtant, sans jamais s'être mêlé aux mariniers du Rhône, sans jamais avoir porté la vareuse et le béret, il a dit sur les fleuves, le premier mot qui devait être dit : « Impassible. »

Comme je descendais des fleuves...

En effet, la première discrétion à garder pour le Fleuve serait peut-être de ne pas l'affubler de sentiments humains, et ne pas lui prêter de souffrances inutiles : le Fleuve ne « bat pas » une rive, mais la lèche en bruissant de joie hydrodynamique ; le Fleuve ne « tend » pas vers la mer, qu'il ignore, mais à tout instant jouit dans sa descente, qu'il peut croire éternelle. Le Fleuve pur et de saveur douce serait peut-être bien malheureux d'apprendre qu'il est destiné à la vaste saumure, à la dissolution béante dans la mer saumâtre. Et il n'est pas bon de le rendre fier de ses origines, que le tarissement accidentel d'une source peut changer.

Le Fleuve possède aussi cette qualité lyrique par excellence, qui est l'expression volubile de soi, et la superbe ignorance de tout ce qui n'est pas soi. — Le Fleuve se tord et se roule et se pousse avec un bruit continu. Le Fleuve méconnaît et nie qu'il y ait d'autres fleuves à côté de lui, et recevant toutes les eaux qu'il puisse jamais connaître, il peut se croire unique au centre d'un univers enceint de montagnes. C'est le seul des grands Eléments naturels qui ne soit jamais opposé ou combattu par ses frères : les houles se pénètrent et doivent composer leurs mouvements, dans la mer ; il y a des remous et « des vents » variables dans le Vent.

La Montagne ne se campe jamais, unique à perte de vue, dans la Plaine. Elle doit lutter d'altitude avec les autres monts qui l'épaulent et qui se résolvent en pénéplaine. Le Fleuve n'est jamais exposé à se rencontrer un semblable, ou bien l'un des deux boirait l'autre et serait longtemps devenu « le seul Fleuve ». La communication des bassins ne peut se faire que par écluses artificielles et sacrilèges contre la pesanteur. C'est ainsi que le beau et poétique sentiment d'Orgueil, prêté aux cours d'eau par des littérateurs, ne se dément même pas à l'expertise géographique.

Ceci, à peine senti sur la carte, ou bien, devenu notion colorée sur du papier, se justifie pas à pas sur le terrain, dans l'effort et dans la joie du corps. C'est pourquoi le franchissement allègre d'une Passe, dans les Montagnes, le passage d'un Col, n'est pas seulement le Passage symbolique de la « ligne de Partage ». — Quand, remontant le torrent qui bruit, s'étrangle, s'épuise dans son bruit, on bascule joyeusement sur cet *autre* versant et qu'on y retrouve l'eau, le bruit, la descente, c'est véritablement l'*autre* monde, un autre monde qu'on habite. Le vaste territoire chinois est excellent pour cette expertise ; et le passage d'un bassin à l'autre est véritablement symbolique d'un très grand changement. Ecrivons posément ceci : que, dans le superbe massif d'où les grands Cours d'eau chinois se disjoignent, il est un lieu, à peine large de cent kilomètres, d'où les Fleuves Jaune et Bleu se séparent, l'un tournant furieusement au nord, vers la Mongolie sibérienne, l'autre se précipitant vers le sud des tropiques, des banyans, des vallées foisonnantes d'odeurs vertes dans les sous-bois ; le Jaune ensuite va s'étaler à plat sur la terre jaune classique de la Chine ancienne, et nourrir et abreuver les chevaux fougueux et puissants de la Grande Millénaire, et finit dans l'inconnu variable et sableux ; tantôt dans la mer Jaune, comme lui, parfois dans le golfe du Tche-li, et c'est

40

comme si le Rhin empruntait un estuaire à l'Aquitaine. — Le Bleu est plus fixe, et n'hésite pas à servir de port, au moyen d'une petite rivière adventice, au Shanghaï américain. Si bien qu'on pourrait hésiter sur le sort d'un bois flottant, qui s'en irait rigoureusement passer dans la Beauté des anciens âges, ou par le proxénétisme marchand des villes à gros gains, dont le bonheur, au bout de l'année, se figure par un bilan... Là aussi, le sujet poétique se confond avec l'hydrographique...

Et, pour l'un et l'autre, le Réel pose sa sanction ; la barrière ; le moyen critique. — Il faut prévoir et connaître les cours, à la Banque ; il faut prévoir et connaître les courants du fleuve pour éviter, ou la faillite, ou la noyade. Et le Fleuve n'a pas que son cours, que son train journalier, là où le batelier médiocre et paresseux suffit (et c'est la meilleure qualité fonctionnaire que d'être quotidien et moyen dans son effort). Tout change si l'on passe aux crises, aux décisions personnelles et vives à prendre, aux « Rapides » à descendre, sans boire ni crever sa jonque sur les roches...

Ici, le fait est à l'égal de l'idée haute que l'on peut s'en former. On imagine, sur quelques mots, ce qu'est un « rapide » : le lit étranglé se soulève, forme seuil et goulot plus étroit, à travers quoi le fleuve, très alenti dessus et dessous, doit passer avec une vitesse bouillonnante. Un rapide est beau par le profil des gorges et des pentes où, le plus souvent, il gît. Il y a des éléments paradoxaux : la pente insensible du fleuve se change en perte de hauteur

41

sensible... on *voit* la déclivité, il y a, non pas chute, mais un incliné glissant, une surface triangulaire, une « langue » d'eau vive, polie comme de l'acier, filant à douze nœuds, et dardant sa pointe au milieu des remous et tourbillons. Des deux côtés, les contre-courants remontent en luttant. Là-dedans, là-dessous, des débats dans l'eau sourde viennent crever à la surface comme des grosses méduses ou des bulles de pétards énormes : l'eau a pris le fond comme tremplin, et surjaillit en elle-même...

Voilà ce que d'avance on peut espérer sentir au passage. C'est encore mieux que cela. Il y a tout cela, tous ces mouvements, et la communication directe des mouvements. Il y a surtout une fraîcheur au visage, que la construction imaginaire du sport ne permettait pas de sentir ; la brise naît du calme et se lève tout d'un coup lorsque l'on passe du recueillement d'amont à la grande accélération emportée de la « langue ». Et c'est un tohu-bohu, un désarroi, un pugilat sans pareil quand les remous en chandelles, les tourbillons et les girandoles viennent secouer et « tosser » de leurs coups contradictoires les planches plates du sampan... Vraiment, on « *n'imaginait* » *pas cela...*

Et cependant, de la notion recueillie, immobile, apprise, de la *leçon*, on peut, sur le Fleuve, passer à l'expérience vive, sans déception, ou du moins, la chose, par hasard peut-être, a pu arriver une fois.

Le rapide du Sin-t'an, qu'il me restait à descendre sans jamais l'avoir remonté, est triple, et la manœuvre triplement difficile. Une première passe, tout près de la rive droite, en eau profonde. A trois cents mètres dessous, une autre passe, mais toute à gauche. De l'une à l'autre, de l'eau qui se hâte, non pas en diagonale, mais selon une ligne oblique et terriblement brisée, juste dessus les roches. D'avance, un vieux pilote chinois m'explique, promenant un pinceau maladroit sur le plancher de la jonque : « Que les grosses jonques et les sampans ne peuvent, ici, adopter la même manœuvre. » Qu'est-ce qui est indispensable : ne pas se laisser porter sur les roches peu couvertes, où toute l'eau vient tournoyer... Si elles découvrent, rien à craindre, car alors l'eau brise là-dessus et forme matelas, et d'elle-même (comme les grands courriers du canal de Suez) elle épouse, tempère la forme de l'obstacle, et aide à la boire, par son incompressibilité sur l'avant. Mais, en cette saison, en ce régime, elles ne découvrent pas... Les grosses jonques doivent alors franchir le premier rapide non pas l'avant en avant, mais sur le flanc, en se laissant dépaler de travers ; alors elles sont prêtes à faire « avant » de tous leurs avirons, et ne perdent pas de temps à virer. Elles utilisent jusqu'au dernier pied l'espace qu'elles ont à courir et se présentent ainsi, au second rapide, en bonne condition...

— Et les sampans ?

Il paraît que les sampans, faits, comme l'indique leur nom, de trois planches (san-p'an), doivent à leur petitesse de pouvoir évoluer à temps et ne font pas de manœuvres spéciales.

Or, il s'est fait que le sampan de location adjoint à la jonque vient de couler non point par accident mais par usure. Il est, sous couvert de finances, remplacé par un bateau plus solide, officiel et guerrier, un bateau à cinq planches, un « wou-pan », dont l'équipage, de trois hommes, est pompeusement vêtu d'uniformes bleus à festons rouges. C'est là-dessus qu'il sera plaisant de descendre le triple rapide compliqué.

Et il se fait encore, brusquement, que le pilote du wou-pan, profitant de l'accalmie avant le rapide, en faisant griller un peu trop de la poudre à feux d'artifice dans une marmite percée comme une écumoire, vient de tout s'envoyer par la figure, et se tord au fond du bateau, aveuglé, brûlé, décapé à vif, roussi jusqu'au noir, ne pouvant même pas pleurer...

C'est alors que le rapide se présente, que l'on est pris déjà dans l'accélération qui précède la langue. On est au point où nulle machine ne peut plus battre arrière, où il faut passer coûte que coûte, ou crever ; — crever la jonque et se noyer dans l'eau douce, dans l'eau trouble et sale qui se revomit sans cesse en roulant... Impossible de compter sur les deux mariniers d'avant : ce sont des gens du haut fleuve, — à deux cents lieues de là — ils poussent durement l'aviron et savent que leur fonction se résume à cela. Pour le reste... eh bien, le pilote fait le reste... Ils ne *savent rien du reste...*

Je dois faire le pilote, puisque je *sais* quelque chose du rapide... Je sais bien (et je me récite la leçon, à l'état de leçon) que le Sin-t'an se compose de trois rapides... que le premier, s'il s'agit d'une grosse jonque, se passe en plein sur le flanc, ou l'avant debout si c'est un sampan. Mais « nous » ne sommes ni jonque ni sampan… nous avons « cinq planches », quoi faire ? Prendre « la moyenne » ? Médiocre. L'attitude des plus grosses ? Grossier. Essayons de faire le sampan. Et je suis debout sur l'arrière, les deux mains au manche du « sao ».

Le « sao », son nom l'indique, balaie le fleuve, et c'est un admirable instrument. La traduction « godille » est fausse, puisque le « sao » n'aide pas à la propulsion, mais gouverne. Le mot gouvernail, ou « aviron de queue », est insuffisant, car il est plus fort, plus équilibré par le caillou ficelé près du manche, plus long, plus énergique, plus sensible enfin que cet instrument.

Je suis donc debout, « au sao ». Je sais bien, je sens bien que dès lors, je ne vais rien perdre de tous les mouvements frémissants du fleuve. La « peau du fleuve » ne frétillera point, le fleuve sous le ventre du wou-pan ne se musclera point que je n'aie senti avant lui, au friselis léger de sa peau, tous les mouvements qu'il va faire…

D'un seul coup de sao, dont le bois vibre, j'ai donc mis le « wou-pan » en plein courant… Le premier rapide m'enlève, me dépasse, et me jette dans les eaux courantes filant trop droit vers le but que je connais : les roches découvertes… Je sais qu'il faut tourner en grand sur bâbord… Donc le sao tout à tribord, et je tire sur le manche, dans le bruit de l'eau, dans l'élan qui, m'entraînant à droite, emmène le bateau sur la gauche ; et la pierre continue sa course et menace de me jeter à l'eau… jusqu'au coup

45

dur... C'est l'amarre du sao qui rappelle, et m'avertit que tout effort ne doit pas dépasser sa limite.

Le bateau semble filer en bonne direction. Sans doute il faut tenir la composante entre la vitesse du fleuve, marquée par le défilé de la rive, et la vitesse propre du bateau. Il semble que celui-ci gagne sur l'autre, et que l'on va gagner sur la pointe... Mais tout d'un coup, tout s'en vient donner dans des remous, dans les tourbillons non prévus, dans des mouvements d'eau que le pilote ne m'a jamais appris. Je ne puis interpeller les deux barquiers d'avant. Ils souquent du mouvement régulier de la bonne conscience..

Et puis le remous devient extrême : j'hésite... je donne des coups de sao sans conviction ; je n'ai pas encore le maniement dans les bras, et, contradictoires, ils s'annulent... J'essaie de me souvenir de la leçon. Il faut bien, pourtant, doubler ce rocher là-bas. Si je n'y atteins, si le fleuve qui me porte droit sur lui est plus vif que moi..., nous sommes dessus, moi, le bateau, le brûlé et les deux mariniers. Ceux-là, pleins de confiance en le maître Européen, nagent toujours sans hésitation... le fleuve est plat en apparence, mais la rive défile terriblement vite. Je me souviens qu'il faut d'abord de la vitesse, pour bien gouverner. — Je crie « vite », et les deux bons bougres se cabrent sous l'ordre et font crisser leurs tolets. Ça va déjà mieux. Mais non. Voilà les remous qui me prennent. Une gifle d'eau sur l'avant me renvoie vers la droite, et dans le plein tourbillon ; la vitesse ne sert plus de rien ; et les deux autres qui forcent toujours, comme des fous ou des gens de bonne foi ! Le bateau fait un tête-à-cul et le panorama brouillé des gorges rocheuses a changé autour de moi, semble-t-il. J'ai senti en pleine figure la gifle de l'eau sur la joue du bateau ; et la valse ridicule devient un vertige des yeux et de la tête où passe le regret cuisant d'avoir tenté ce que je ne pouvais faire... C'est la danse bien ivre des scrupules et des doutes : il fallait manœuvrer comme une jonque ! — Sois prudent ! — Il valait mieux ne pas passer du tout... Me voilà bien noyé d'avance, j'imagine complaisamment l'état d'esprit du noyé ! — « On revoit toute sa vie »... des choses étonnantes... mais je ne serai pas noyé. Je vais me concasser la tête, sur la roche, qui m'arrive dessus, à dix nœuds... droit devant, puis de nouveau le tour est complet... Alors, si pourtant, on pouvait passer ? Les gens sur l'avant sont infatigables et ne bronchent pas. Ils ont confiance. Ou bien ils ne voient rien... Si l'on passait... Je suis déjà dans les remous des roches, l'avant droit sur le caillou, à dix longueurs de la coupure, très loin sur la gauche... Alors, un dernier espoir, et tout à gauche, en tirant sur le sao.

Non ! je ne sais comment je me suis rué, le poussant de toutes mes forces, les pieds nus sur le bordé clapotant. J'ai donné un grand coup de sao qui a fait venir en grand sur la droite, et tout d'un coup très sûr de moi, j'ai vu le bateau filer à deux doigts des pierres, sauter dans une volute, se recevoir en vibrant, et nager enfin en eau profonde, ayant passé, sans savoir lui-même comment, par un chenal intermédiaire, une passe non reconnue... Les hommes ne se sont pas retournés : je les arrête. Ils s'épongent dans un repos calme : ils ne savent pas combien nous l'avons échappé belle : celui-là seul qui geint encore au fond du bateau, pourrait en témoigner, s'il avait vu !

Mais je reste un long temps sans pouvoir me l'expliquer à moi-même. Pourquoi, au lieu de lutter jusqu'au bout selon la leçon apprise, j'ai tout d'un coup et si fort à propos renversé la barre, paradoxalement, par bravade ? Non. Je n'ai pas mieux à me répondre que : « par instinct ». A ce moment, digne de l'illumination légendaire du noyé, j'ai « compris » que réciter l'appris était la mort, qu'il fallait brusquer, inventer, même au prix d'une autre mort. Le passage était invisible, mais je jure avoir pressenti quelque chose, peut-être aux mouvements profonds du sao, peut-être à un frémissement incalculable de l'eau, — qu'il y avait mieux et plus inconnu à faire...

Voici, pris sur le vif, la juxtaposition des deux Contraires : l'imaginé ou l'enseigné ; et la pierre d'achoppement ou de naufrage, le Réel. — Entre les deux, non commandé, non ordonné, la Bête brute de l'Instinct-sauveteur, souple comme l'eau caressante, avisé comme un paysan, matois comme un chat sorti on ne sait de quelles caves ou de quels souterrains, vient interposer son à-propos et son énigme. La leçon est bonne.

Et le fleuve continue son cours. Le brûlé persiste à geindre, les mariniers reprennent leurs rames, et chantent. Je vis avec satisfaction.

10.

POUR DEVISE, j'ai cherché des mots expressifs, et le symbole de ce voyage double. J'ai cru les trouver coexistants dans la Science Chinoise des Cachets, des Fleurons et des Caractères Sigillaires. Précisément les figures doubles sont nombreuses, — qui pourraient s'appliquer au double jeu que je poursuis. — Par exemple, l'enroulement réciproque des deux virgules du Tao, l'une blanche, l'autre noire, égales, symétriques, sans que l'une l'emporte jamais sur l'autre. Le Symbole a déjà beaucoup servi. La traduction commune en est « Ying et Yang » Femelle et Mâle... et cette opposition et cette pénétration, qui, disent les classiques du dixième siècle, engendrèrent le monde, sont également capables de contenir tout ce qu'on veut. Mon voyage et le but de mon voyage s'enferment et s'envolent là-dedans avec facilité : L'Inventé, c'est le Blanc-mâle, le souffle aux milliers de couleurs. Le Réel sera le Noir-féminin, masse de nuit. Le Réel m'a paru toujours très femme. La femme m'a paru toujours très « Réel ». La matière est femme et toute comparaison est possible et sans restreinte, vague. C'est pourquoi je n'en veux pas. Les autres symboles sont contradictoires ou modernes. Seuls les Caractères demeurent le fond inépuisable d'invention traditionnelle. Mais rien ne se trouve déjà dit sur cette expérience : opposer le Mot et la Chose, pour cette raison que le mot chinois est un signe, complet en lui-même, existant, réalisant, différent de ce qu'il dit, et déjà très supérieur à ce qu'il daigne signifier.

Une devise est pourtant indispensable. Plus ferme que les petits vouloirs mobiles de mon petit dieu de voyage, elle doit jalonner la route comme un fanion, planté aux endroits de conquête plus difficile. Fixée dans ses lignes, elle seule ne doit pouvoir changer ; mais on peut changer de devise. N'importe, comme jamais le problème que j'agite ici ne fut plus net qu'en ce moment où je me le repose, c'est l'instant de le codifier, de prévoir d'autres moments où le moment vacillera. Alors, plantée plus loin, la sèche devise attirera... Ce pourrait être une épigraphe ainsi : « Pour savoir... » mais compromis. Ou un titre, un titre-devise : « Voyage au pays du Réel... » A conserver, mais en sous-titre. « Caravane spirituelle » serait bien ridicule, et n'est pas une devise. « Équipée » est encore un titre, souligné d'ironie, sans préjuger du résultat. — Expliqué par d'autres mots, je le garderai sans doute. Mais la trouvaille n'est pas faite encore ; je ne sais ni la formule ni les signes que je confierai au graveur ; je ne sais même pas la matière taillée : de jade, de pierre tendre, de

51

cristal ou de bronze, ou d'agate veinée ; peut-être de marbre... Mais j'en ai choisi les dimensions et le style.

Ceux du cachet très humble de pierre que je tiens dans la main, et qui, par jeu, s'applique parfois sur ces pages. Il est carré, à quatre caractères d'écriture antique reprise sous la voyageuse dynastie mongole du treizième siècle. Un coin est ébréché, — comme le grand sceau impérial. Je l'ai bien en main, malgré le peu de beauté de la pierre, une sorte d'ardoise noire, quadrangulaire... Mais il m'est déjà familier. Au reste, pourquoi ne pas l'accepter comme porte-devise ?

D'abord, je ne sais pas encore ce qu'il veut bien dire : en déchiffrant mieux je devine une souple et dense image qui n'est point dans les allusions classiques, et qui répond à peu près à « POUR ME COMPLAIRE ». — Trop fade pour être inventée, l'image est possible à recevoir ainsi du hasard. Car c'est bien du hasard, et du plus bas, que je tiens ce cachet dans la main, et qui va, je le sens, devenir définitif dans le provisoire de sa pierre fragile. Ce cachet ne m'a pas été donné en gage d'amitié par un prince des Bannières, ni par le duc au casque de fer, ni par un Eunuque voleur du palais ; — je l'ai seulement acheté cinquante sapèques, je ne sais plus quand, à un coolie marchand de débris étalés sur la route. Ce qu'il exprime n'est ni fier, ni beau, ni prometteur, mais, tout, son origine, sa révélation brusque, la souplesse de son dict est une leçon d'ironique à-propos.

11.

QUANT AU RÉEL, il triomphe avec brutalité. Le coup de plongée a réussi. J'ai brutalement étranglé ma peur du réel. Je m'en suis allé au-delà. Le foulement perpétuel de la boue grasse, élastique et nourrissante ; les constantes réactions grossières et quadrupèdes du cheval... la vie diurne sur le pays ; la vie nocturne aussitôt assourdie de sommeils, recevant le coup de masse consciencieux du bourgeois qui s'en est allé, par hygiène, « voir des femmes ». — Ce sont de lourds sommeils musculaires, d'un lourd horizontal, — et qui n'en demande pas plus. Les réveils nets sont directs et lucides, mais non pas « extra-lucides », mais non pas pénétrants... J'embrasse d'un seul coup tout ce qu'il faut faire aujourd'hui, qui n'est que l'en-demain répété de cette veille bien acquise... Ceci tue l'Imaginaire rétif, au lieu de s'opposer tout simplement à lui.

Certes la constatation est imprévue. A bien y réfléchir, j'aurais cru à des débats plus prolongés, à des atermoiements, des ruses, ou de tragiques chocs... Rien, ou si peu tout d'abord, et maintenant

plus rien. Si je relis des mots anticipés : « lointains » et « désirs de conquête », « beauté du choc
entre l'esprit et la terre »... le plus grand nombre de
ces mots ne m'évoquent plus rien du tout. Il n'y a pas
de réponse à l'appel. Il n'y a pas de communication.
Les mêmes mots, il faut les repenser, les mûrir, les
adapter à mes très grossiers besoins quotidiens...

Non ! — et c'est interloquant — le Réel mijoté
d'avance ne s'oppose pas à l'irréel comme un gros
lutteur au maître en lutte japonaise ; — il existe,
tout simplement, et on le subit. Jeté à l'eau comme
je l'ai fait, et sans cesse nageant entre deux eaux, je
ne cherche plus les grandes bouffées du vent tourbil-
lonnant. C'est un sport équilibré d'aquarium. Je me
souviens encore, par habitude, de la nécessité, disait-
on, de l'irréel, du non-vrai, du lointain... Mais je
continue mes brassées régulières, sans anxiété, sans
asphyxie. C'était donc cela, le Réel ! Imaginer est
bien plus plein d'angoisse que faire. Si tu as peur de
la chute, jette-toi. Si tu crains l'eau, mouille-toi
bien... Gribouille et Prud'homme, en le bon gros
gélatineux Sens Commun sont maîtres incontestés
ici.

L'accomplissement n'a pas donné l'ivresse forte
imaginée, mais le constat : c'est *cela*. C'est *fait*. Ce
n'était donc que cela ; et l'on reste étourdi du limité,
bien vite repu, *satisfait !* Et l'on ne demande pas plus.
On s'ébat avec de bons gestes d'otaries dans le bassin.
— Les moindres gestes éclaboussent : tant mieux :
pan ! dans la flaque sale ; la boue est une coque, une
armure, une défense, un vêtement... Les souliers se

trouent ? On marche plus librement à travers... La rêverie longue est antagoniste de cet effort ; on donne l'effort, en pensant à autre chose, à n'importe quoi... Si le livre qui s'ouvrait autrefois de lui-même insiste et paraît déplacé, on ferme le livre...

Et les mouvements deviennent gros. Et l'on n'est plus sensible à tout ce qui dansait autrefois. Et l'on s'attache avec ses mains et sa bouche au concret : au chemin fait, à celui qui reste à faire, au sommeil empuanti d'odeurs humaines, à ce que l'on mangera, à la quantité qu'on mangera, — la nuance est méprisée ; la notion pleine du geste, voilà ce qui sert, où l'on se vautre...

Au reste, simple défense sans doute. Obligé de compter avec la « mère nature et Cie », on feint d'obéir à ses principes... On devient tour à tour peuple, ouvrier, paysan ; du cheval, on descendrait volontiers à la mule, de la mule à l'âne, comme plus sûr ; et de l'âne plus bas encore dans la grossièreté paresseuse : de l'âne porteur, à l'homme de bât.

12.

DE LA SANDALE ET DU BÂTON, je ne
dirai rien qui n'ait été senti autrefois, — mais que
l'on oublie, et qui tombe. Ces apanages obligatoires
du marcheur ont perdu leur utilité concrète et sont
devenus des symboles ; — des ex-voto du réel
accrochés en les cryptes d'un imaginaire désuet. —
Ils font partie des accessoires du langage. Ils ne
vivent plus. Ils n'ont pas la vigueur élastique,
allante... Ils appellent derrière eux les fourgons
attelés des mots voyageurs et errants : des chemi-
neaux, des pèlerins, des mendiants et des ermites...
Ces mots ne sont plus que des défroques, ou des
objets familiers seulement à la vieillesse qui, si peu
noble, est souvent si sale et si pauvre. Je voudrais
leur rendre un peu de leur jeunesse élastique d'autrefois, un peu de leur en-allée ailée ; — car mieux que
des ailes au talon de Mercure, la Sandale rend souple
et légère la cheville, et le Bâton divise allégrement le
poids.

Le Bâton doit être haut, léger et nerveux. Non pas

souple comme un arc, mais sec et rigide. Trop lourd, il encombre ; trop léger, il s'émiette comme une moelle, et l'appuiement n'a pas confiance. Il doit se saisir de haut pour que le bras s'y accroche et se tende sans effort, pour que, précédant l'ascension du corps, le flanc vienne appuyer son hanché, son tour de rein. Il sert, étançonne et appuie beaucoup plus qu'on ne croirait. C'est lui pourtant l'auteur de ces poses « bibliques » ou de ces octogénaires drapés dont les peintres ont coutume sur la foi de modèles peu accoutumés à la marche... Et pourtant, telle est la noble tradition du bâton, que, loin de dénigrer ces poses picturales, maintenant formulées en calques par l'école, on se surprend à les épouser, à les calquer à son tour, malgré soi, dans sa musculature.

Quand on monte, le Bâton vous précède d'un degré, — il prépare, il devance, il tâte le terrain. Il prend appui un peu plus haut que soi. Il fait conquête de la hauteur un peu plus vite que le corps qui le suit. Sa foulée a déjà dominé la marche que l'on monte, où il vous attire et vous tire. Si c'est en plaine, il va de sa grande cadence, d'un pas exactement double de l'humain, il balance avec ampleur l'avancée. On comprend et l'on sent, à marcher ainsi, conquérant la longueur qui traîne, — on comprend de quelle allure corporelle doivent avancer les Puissants. Ce n'est pas en vain que l'Évêque s'appuie sur la crosse, et la fait, tous les deux pas, sonner ; — ce n'est pas sans raison d'équilibre qu'elle se recourbe en avant et se charge de pierres et d'émaux... Le balancé de cette marche, rituelle, est la transcription splendide et périmée de celle des princes pasteurs, dans les pâturages anciens. Mais il ne faut pas, que sur la pierre, on entende sonner le fer, ou le bronze, ou l'or ou le métal. — Le Bâton est un bâton de bois, et doit l'être, et rien de plus. Comme l'homme, un fait de chair et de salive, et de sang du cœur, et d'os et de peau douce, et de pensée humaine, et de tous les pensers humains, et rien de plus.

Surtout, il ne faut pas que le bois du bâton soit fibreux, et chargé d'éclisses, ou il blesse sournoisement la main qui le tient.

La Sandale est, pour la plante du pied et tout le poids du corps, l'auxiliaire que le Bâton fait à la paume et au balancé des reins. C'est la seule chaussure du marcheur en terrain libre. C'est le résumé de la chaussure : l'interposé entre le sol de la terre et le corps pesant et vivant. — Symbolique autant que le Bâton, elle est plus sensuelle que lui ; moins ascétique. Mesureuse de l'espace, comme un « pied » mis bout à bout de lui-même ; — grâce à elle, le pied ne souffre pas, et pourtant fait l'expertise délicate du terrain. Grâce à elle, à l'encontre de toute autre chaussure, le pied s'épand et s'étire, et divise bien ses orteils. Le gros travaille séparément, les autres s'écarquillent en éventail. Le talon suit plus légèrement la cheville. On pressent que le terrain va glisser, on résiste. On sait d'avance, juste le temps d'un bond sur le côté, que la roche roule ou résiste...

Nouer et dénouer le cordon des sandales est un geste qu'il faut faire avec soin. Le serrage est un geste délicat ; il faut avoir les doigts justes pour ne pas en dix foulées se blesser ou perdre sa chaussure... Et la plus véritable des sandales est celle-ci : une semelle de paille épaisse, bien feutrée par-dessous, et la liette large qui passe de l'anse du gros orteil, resserre et tend le réseau sur le dos du pied.

Suspendre ses sandales n'est point un geste que l'on fasse ici. Comme tout en Chine d'aujourd'hui, la matière en est précaire et s'use avant deux ou trois étapes... Et d'ailleurs, pour donner attention à cet objet, il faut faire partie du peuple marchand du Sseu tch'ouan, mieux encore : du peuple porteur, des millions d'hommes de bât dans la même province. L'homme riche ignore la sandale et méprise la marche. L'homme riche, bourgeoisement, s'en va-t-en chaise. Mais le coolie, comprimé sous une charge sur le dos qui dépasse deux cents livres, en pays de montagnes et d'escaliers perpétuels, en étapes qui font plus de deux semaines à six lieues effroyables par jour, le coolie tient plus à ses sandales qu'à ses pieds ou aux tumeurs de sa nuque. Des voyageurs se sont extasiés sur le fait — qu'ils n'ont jamais vu — de porteurs tombés sous le fardeau, sur la route, mourant là. — Je n'ai jamais vu de cadavres de la sorte. Mais toute cette altière et hautaine route de l'abord de la Chine Occidentale vers le Tibet est mosaïquée de semelles écrasées, de sandales mortes, dans la boue, le froid ou le soleil. — Et rien n'est plus lamentable que ces pas immobiles, pourrissant là.

Mais, que, passant, on se sent allégé de les bien sentir à ses deux pieds !

C'est le contact ; la sensation tactile ; la prise de possession du terrain, répétée. — Chaque pas est marqué de chaque foulée du visage dans un air à chaque instant souffleté de nouveau par ma face...

Exprimant ceci que j'ai senti, je note avec attention le plus étonnant : de me trouver, au soir de ce jour, parti d'un point éloigné de dix lieues, arrivé ici, où j'écris, par le seul balancé de mes deux pieds sensibles...

13.

DANS LE GROS TORRENT, LE BAIN
est toute une aventure non prévue ; un sport vif et frais
de toute la peau, qui n'a pas appris à se sentir, certes,
dans toutes les représentations esthétiques du nu. La
littérature et la musique sont peu instructives à cet
égard, et ne sont pas en cause ici. Les peintres seuls
ont abusé du bain, et se servent couramment du nu
avec une candeur ridicule. On ne peut être nu
comme à souhait. On ne peut, sans déconvenues ni
découvertes, les unes comme les autres, étonnantes,
s'allonger tout d'un coup dans l'eau vivante du
torrent. — D'abord, bien plus que la mer informe,
l'eau courante, fuyante, furieuse et cascadante, a sa
personnalité, sa pudeur, son étreinte, — véritablement son corps à corps. Le bain dans la mer ne fait
point participer à l'infini des mers, et nulle marée
Atlantique n'est perçue comme un halètement, si ce
n'est par la plume sèche du poète terrien. Mais on vit
de l'essor du torrent puisque l'on s'oppose à sa
course. Et que le premier geste en entrant dans le

bain, dans le gros torrent, est d'avoir à s'opposer de toutes les forces à lui.

C'est la première des surprises. On est puissamment bousculé. Aussitôt les pieds heurtés aux roches ou piqués de gravats font mal. Quand, enfin, l'on a retrouvé son assiette, on peut goûter la saveur sans cesse à l'indéfini renouvelée, de l'eau, sur les pores de la peau. — A l'encontre du sens un peu trop alimentaire du goût, que l'on ne peut ni ralentir ni retenir, et qui n'est pas réversible, et qui dépend si goulûment de la plénitude d'une poche ! la peau est un admirable organe étendu, mince et subtil ; et le seul qui puisse, pour ainsi dire, jouir de son organe jumeau : d'autres peaux, d'un grain égal ou différent, d'une tactilité, d'un dépoli sensible… Le regard seul a cet immédiat dans la réponse…, mais voir est si différent d'être vu ; cependant que toucher est le même geste qu'être touché… Et cependant les poètes et grands imaginaires, si féconds en échanges d'âmes à travers les prunelles, à travers des mots et la voix, à travers des moments spasmodiques si grossièrement réglés par la physiologie, — les poètes ont peu chanté l'immédiat et le charme et la jouissance de la peau.

C'est tout d'abord ce que la plongée au creux, au lit du grand torrent, révèle. Dès qu'on a retrouvé son assiette, on est étourdi, frotté, décapé, attaqué sur toutes les coutures. Le corps à corps avec toute l'eau descendue est complet et presque sans aides : la pesanteur, si cuisante dans la chute vraie, si vertigineuse au bas-ventre durant l'imaginaire de la chute

—, la pesanteur n'existe presque plus, et le bon sol solide très habituel, père de l'immobilité, n'est ici représenté que par ces ronds et gros galets moussus, qu'on sent prêts à entrer en danse eux-mêmes, à se rouler dans l'eau, à fuir ; — et, pour comble, recouverts d'une peau verte, veloutée, fuyante et glissante aussi, sur laquelle on a moins de prises que sur l'eau...

L'eau heurte durement. Lutte constante. Peu à peu la fatigue vient, avec le froid... Le froid surprend, saisit et stupéfie. Sortant de ce grand et dur été aérien, de cet air enclavé de montagnes, chauffé, tout stagnant dans ses cuvettes d'où il monte en bouffées verticales, mais sans pouvoir s'animer jusqu'au vent traversier, — l'on ne croyait plus qu'il fût possible d'avoir froid, et l'on soupirait vers la fraîcheur irréelle... Le froid est tombé en ouragan fluide et divisé. Le froid avec le bruit éclaboussant. Avec la poussée continue ; et l'on sait d'où il vient : toutes les eaux, depuis deux mois de marche, coulent du Tibet, tout proche, et s'en vont à la mer, à plus de mille lieues... C'est l'haleine dure, le vent des cimes, la cascade du Tibet...

Grelottant, l'on sort du bain. Tout d'un coup repris par l'air tiède, puis chaud ; étonné de l'immobile serre qui vous reprend, où, de nouveau, il faut faire aller ses muscles massés et alanguis d'eau froide, et des baisers de l'eau renouvelée qui lave elle-même son baiser.

14.

LA GRANDE VILLE AU BOUT DU
MONDE, je l'imaginais ainsi : populeuse, peuplée, mais non populacière ; ni trop ordonnée, ni
trop compliquée ; les rues dallées à plat, peu larges,
mais non pas étroites, — où les maisons de vente
offrent et dégorgent sur les passants les cellules
profondes de leurs magasins riches ; où les toits,
cornus, comme il sied, depuis la classique tradition
de ces deux mille années, ne sont pas des toits
biscornus, — et pourtant, accrochent le regard et
l'envoient baller dans le profond du Ciel chinois, du
Ciel magistral, le Régulateur et l'Ancêtre. Cette
ville, je la rêvais d'avance comme un compromis
réussi, entre le ciel, la terre, la campagne et
l'homme ; et aussi comme un juste milieu entre
l'Impériale Cité du Nord, Péking aux larges avenues
préparées pour les cortèges, et Canton, Capitale du
négoce fourmillier (sic), dans le sud, si étroit, si
parcimonieux de son espace que les chaises un peu
somptueuses en sont réduites, dans les boyaux

étroits, à passer l'une par-dessus l'autre... Enfin, comme cette Ville est la Principale de celles qui s'avancent vers le Tibet, et s'opposent à lui, j'espérais y voir un reflet du Tibet, mis au pillage, et les débris de ses hordes... Enfin la Ville chinoise, ni mandchoue, ni côtière, ni sauvage dans ses tributaires à peine assimilés, du sud. Je m'attendais bien à cela. Je désirais si fortement cela, au bout de quatre mois de route ; — et je trouve, au bout de quatre mois de route :

Une ville populeuse, peuplée, mais non populacière. Ni trop ordonnée, ni trop compliquée. Les rues, dallées de ce large grès velouté, gris-violet, doux au fer des sabots et aux semelles ; des rues que l'échange des pas remplit, et pourtant où l'on peut trotter à l'aise à grande allure ; où les riches maisons de vente dégorgent incessamment les soies et les couleurs et les odeurs... même inattendues ; des chaussures, minutieusement cousues, relèvent leur poulaine courte. Des jambons arrondissent leur fesse luisante ; des cordes de tabac et leur note grave ; des œufs rouges, d'une garance effroyable, des œufs peints, sont moins riches que la lueur ambrée et le verdâtre des œufs conservés, épluchés, leurs voisins. Ces délicats bijoux de plumes bleu turquoise, niellés d'argent ; des cuirs tannés, et des cuirs vivant encore ; des ceintures anciennes et ces cartouchières neuves... Voici des calots de soie mauve, et des coupons empilés, colonnes denses de soie, de soie dure, vendue au poids de soie, sous les teintures gris de pigeon, les verts de Chine, les grenats. Puis, des

écheveaux affadis du rouge au blanc, laissant glisser
le son comme une corde de luth dont on dévisse la
clef... Ces denrées, ces matières papillotantes à
l'extrême, encastrées méticuleusement dans chaque
échoppe ou magasin, dont le cadre est fait de ceci :
un beau noir et or. Les poteaux laqués du beau vernis
brun sombre à luisants noirs et reflets roux, la la_ue
de Tch'eng-tou, et non d'ailleurs...

Suivre ces rues presque couvertes, où les couleurs
sont contenues et ramenées par l'air papillotant, est
un long couloir enfermé et où l'on a les coudes à
l'aise. Moins ouverte à tous les vents qui d'ailleurs
soufflent si peu au Sseu-tch'ouan, moins fermée que
le boyau fécal de Canton, la rue à Tch'eng-tou est
toute décorée des plus altières et profondes couleurs :
or vieilli sur laque noire. Noir est trop dur pour ce
que je veux fixer ici. Ce noir apparent est en réalité
un brun roussâtre profond et chaud dans lequel
s'enfonce et luit le vieil or dynastique. Cependant,
ceci n'est point impérial comme Péking, et ceci n'est
pas mercanti. Mais toute la puissance Provinciale
éclate et joue dans ces richesses et ces couleurs.
Comme le Sseu-tch'ouan bien peuplé est la plus
féconde en hommes dans les dix-huit provinces de
l'Empire, de même sa Capitale est l'abri de ses
maîtres et corporants, et le plus valable antagoniste
de ce qui, étranger à Péking, s'oppose à la Capitale...

Et, par rafale, c'est aussi la reine du pillage et des
échanges entre le Tibet tributaire et la grosse
impératrice chinoise. Quand le Tibet indompté est
sage et condescend à traiter et à vendre, c'est là que

ses denrées passent et trafiquent — mais l'échange est mesuré et mesquin. Quand le Tibet se révolte et tue les envoyés de Chine, puis est puni et massacré, c'est encore à Tch'eng-tou que reviennent se disperser et se vendre les trophées chauds et embaumés d'encens des temples de lamas et des Gûms. Alors, pendant quelques mois, la ville trafique des turquoises en pavé, en cailloux, en bijoux et en poussière ; il traîne dans les rues des peintures sombres et farouches, où parmi des auréoles de bleu vif, sur un fond rouge, d'épouvantables et féconds dieux membrés, pénètrent des parèdres ravies et renversées, en agitant dix bras et cent doigts devinés dans la nuit d'un fond de fumée ; ce sont les peintures Tibétaines. D'admirables et somptueuses loques pendent aussi aux mains des soldats. Ils sont heureux de troquer pour du cuivre ce qu'ils rapportent au prix d'épouvantables soifs, et de faims où le cuir des harnais était depuis longtemps digéré, et de froids dans lesquels la neige pure était un réconfort. Ils abandonnent aussi des objets dont ils ne savent pas l'usage, et d'autres dont ils se moquent : des crânes sertis de cuivre doré, et qui enfermèrent de très pieuses pensées ; des crânes maintenant, où l'on boit...

15.

LE LONG SÉJOUR IMMOBILE, l'escale
grise et que j'imaginais rembourrée d'un or bien
cotonneux, chaud après le froid, moelleux après
l'âpre et l'aigre... C'est, de toutes, la plus désolante
déception ; la seule complète. S'arrêter quand on sait
qu'il faudra repartir ; déballer ses coffres dans le
provisoire afin de laisser souffler les chevaux ; perdre
l'impulsion quotidienne de la route, qui finit par
être nécessaire autant que le flot et le jusant aux vers
ambulants de la plage... Ceci est un désappointe-
ment qui noie sous une grande fatigue, d'autant plus
lourde qu'elle naît dans le repos.

C'est ainsi, que le fleuve charrieur, tant qu'il est
maintenu entre deux hautes berges, ayant fait sa
route à travers les gorges, arrivant à l'embouchure,
s'alentit, s'alourdit, s'évase et s'envase. Alors, dans
les eaux largement immobiles, les troubles alourdis
par le repos descendent au fond, avec leur bon goût
de terre, leurs gravats et les relents qu'ils charrient ;
avec leurs paillettes aux cillements d'or ; les troubles

déposent, enrichissant les hauts-fonds sans profit. C'est alors que le fleuve se purifie, semble-t-il. Non. Le fleuve est mort, s'étant vomi dans la vaste saumure.

Ainsi, le torrent des heures du voyage quand il dévale et débouche, très alenti, à l'escale longue (et qui n'est pas le but) s'amortit et se disperse dans l'ennui. Il se clarifie et s'épure. Il s'aveulit. Ne pas repartir demain ? Ce soir, ne pas avoir fait de route ? La journée est opaque et embuée, grise et vide, — perdue. Ne pas sentir dans les reins ce poids mensurable de cent li parcourus avec entrain ! Ce n'est plus la fatigue achetée au jeu des muscles, mais l'illusion quotidienne, un accablement sans cause et sans vigueur, qui ne permet aucun espoir de sommeil et n'espère aucun réveil.

16.

UNE CHAIR GLORIEUSE ! un corps d'élu ! une relique non dépecée, le chef-d'œuvre frais du martyre ; la conquête de l'esprit sur tout le grossier temporel ; la figure, sous face humaine, de ce qui, vivant, a vaincu la mort et toutes ses suites ; la défroque d'une âme déchaussée, démembrée, dépouillée, dépulpée, libre et purement âme ; ce qui reste, le témoin de la lutte : le manteau fait de sang et de muscles, ironique otage, méprisable laissé-pour-compte aux bourreaux, et sur lequel ils ont dansé bestialement, croyant ainsi venger le César, ou détruire l'hérésie, cependant que le souffle désincarné dans son grand essor parabolique revient tourner sur la dépouille dont il rit. Et pourtant, qu'elle apparut belle, dans les œuvres peintes ou lyriques, habillée de mots plus célestes que le bleu Angelico. Des musiques ont chanté plus haut et plus fort que les martyrs. Si on en parle, c'est afin d'exprimer l'allégement, l'évasion... Le mot seul de martyr détache une symphonie bruissante de harpes et d'ailes, de rayons, de flammes et de pleurs presque amoureux. Et si d'en haut on revient à la terre, un corps tombé au bon combat ne peut pas s'imaginer d'une autre manière que celle-ci : si c'est un homme, qu'il soit nu du crâne à la ceinture, des orteils aux genoux, fort et musclé, — le renoncement au corps ne fut que plus méritoire, — et alors, couvert de rouges plaies dans sa chair encore palpitante ; le sang fume comme un encens fume. Les bourreaux qui l'ont éventré, écorcé, brûlé, divisé, tenaillé, énervé dans tous les replis douloureux, n'ont pas égratigné la peau sereine du visage, beau et fort. Ou bien, si les privations historiques ont été longues, si le Saint a longtemps résisté sous terre dans la faim, et dans l'ombre pleine de tentations plus cuisantes que le gril, on consent qu'il paraisse blême, maigre, jaune-extatique, déformé, et sec à la vie humaine. — Une Sainte doit être préservée, et toujours avant tout elle sera belle. On accepte qu'elle ait été mère, mais non déformée. On l'honore dans sa beauté terrestre, image de sa splendeur dans les cieux. Sur ce corps miraculé les pires outrages, volontiers décrits, laissent peu de traces peintes. Dépouillée, souillée, on ne la voit plus que rajustée, les bras à peine nus, défendant le cœur passionné pour l'Epoux-Unique. Les cheveux fouillés dans la luxure ont repris leur attache, leur grâce ; — et d'invisibles mains de sœurs déjà célestes ont tout réparé du spectacle abominable que serait le même corps, profané par les mêmes violences, mais que le but ne sanctifierait pas.

Car du principe où le corps est jugé glorieux,

toutes les habitudes naturelles s'arrêtent pour lui : comme l'âme est insaisissable avec les brutales mains à cinq doigts de la vie et non divisible par le sabre, le corps échappe à la décomposition. Il participe déjà à l'essence de ces chairs vraiment glorieuses : corps d'Elus après le Dernier Jugement ; corps pénétrants, filtrants, fluents... Et d'ailleurs, des fidèles, des amis, des parents — jaloux du triomphe — viennent précocement inhumer le cadavre, et parfois, par conviction sans doute insuffisante, sans attendre la preuve pourrie, la « tache verte » sur le ventre, — l'embaument.

Mille ans plus tard, quand trois miracles révolus auront proclamé la sainteté, l'on ouvrira la chambre sèche, et l'on s'étonnera, ou bien de la conservation, ou du poli jaune des os que l'on se partagera de reliquaires en reliquaires. L'on gardera aussi les cheveux, matière impérissable ; et les dents, et les rognures d'ongles trop négligées durant la vie. Et dans tout cela, rien de déplacé, ni déplaisant, ni répugnant. Mais une grande envolée réconfortante : un allégement, dans les mots, dans les couleurs et les formes, dans l'esprit et dans le cœur, tout se distille en ce léger et enivrant parfum de sainteté... Voilà ce qu'il est décent d'imaginer au seul prononcé de ces mots : Martyrologe, Martyrisé, Martyr et Sainte Relique... Un corps élu ; une chair glorieuse...

Mais voici ce que j'ai vu : une charogne. Glorieuse, oui, et je le sais ; mais avant tout, et pour toujours : une charogne. C'est ici, au confin de la

Chine et du Tibet, que je l'ai regardée, reconnue, touchée.

Sous un hangar, un cercueil chinois fort étriqué, misérablement économe de son bois. Un jeune missionnaire chargé des cérémonies, et très affairé, papillonne autour d'un prélat, évêque d'Héracléopolis, *in partibus infidelium*. L'un et l'autre semblent fort préoccupés de l'odeur. Le cadavre est vieux de vingt-deux jours ; vingt-deux jours de route chaude depuis l'embuscade où les lamas Tibétains l'ont fusillé mécaniquement, puis amputé, lacéré, trépigné, meurtri. Il faut lutter contre l'odeur qu'on ne sent pas encore, mais qu'on redoute. On cherche des produits chinois, un peu païens : les bâtonnets à la crotte de chameau, mêlée d'encens et dont les bouddhistes font usage. On en achète au coin de la rue. On les fiche partout : dans les ais disjoints du cercueil, dans les fentes des poutres du hangar... on en offre aux assistants ; on racle aussi des copeaux de santal, qu'on s'efforce d'allumer ; on songe à faire flamber le puant alcool chinois, et l'on remue le dispensaire et ses fonds de flacons désinfectants. Seuls les bâtonnets rougeoient bien, et encensent l'air gris, immobile. On se risque à ouvrir le cercueil.

Sans suaire, sauf un mauvais drap suintant, sur la face, le corps est vêtu, trop vêtu, trop naturellement recouvert de ses vrais vêtements d'humain vivant ; la sorte de robe-soutane chinoise, ballonnée au ventre, étriquée aux épaules que le cercueil trop étroit ratatine, — les coudes gênés, serrés en avant ; — un qui fut un homme étouffe là, ayant voyagé vingt et un jours dans cette boîte, avec ses mouches vertes, sous le soleil bourdonnant d'éclosions...

C'est un martyr. Le cas est indiscutable. Si j'avais à le plaider en cour de Rome, je ferais voir le bon droit du confesseur : non seulement le Père était en tournée pastorale, et ce n'est pas jeu de brigands, mais vengeance : le coup ne peut s'expliquer autrement que par volonté d'un Lama, d'un diabolique suppôt de cette religion caricature des gestes romains liturgiques, et qui n'ignore ni l'eau consacrée, ni les cloches, ni les pèlerinages, ni les oraisons jaculatoires remetteuses de sept ans et de sept quarantaines. — Un satanique concurrent, un échappé d'enfer, armé par la permission divine d'un excellent Mauser importé d'Allemagne par la frontière himalayenne, a fait le coup... ressentiment prémédité du Lama, contre qui le Père volait des âmes, les arrachant aux sectes jaunes pour les « donner à Jésus ». Le martyre est donc indiscutable. Et malgré la répugnance du spectacle, les glaires, le ballonnement et les taches, on peut croire à une spiritualité légère, victorieuse de tout ceci...

Peut-être quelque prière d'une voix vivante, pour rejoindre l'âme, l'appeler, l'évoquer... Peut-être un peu d'eau lustrale, bénite sous les mots romains pour laver, pour décoller l'étoffe grise et jaune du visage...

D'une main de femme au-dessus de la bière, d'une longue manche blanche, tombent en effet des gouttes sur l'étoffe, sur le cœur... et une abominable odeur se répand : toute la sale et puante pharmacopée se déverse sur le cadavre... Toujours afin de tuer l'odeur du saint, une religieuse l'inonde d'un vieux flacon de phénol.

Et l'on peut découvrir la face. Non plus la face ; il n'y en a plus ; ce qui fut le visage est, non pas pourri, mais noir et sec. Tout s'est rétréci sur les os. La tête est rentrée dans le cou, le cou dans le tronc ; la petite figure de momie encore humide rit abominablement « en dedans ». Quelques cheveux gras ; des poils de barbe rousse, européenne. Le crâne est presque vide, vert et liquéfié. Les mains qui ne sont pas jointes, ni résignées, tordent leurs doigts noirs et secs. On se penche : la tempe gauche, trouée largement, témoigne que la mort fut brève, qu'il n'y eut pas de souffrance. On se félicite que celui-ci admis à l'ineffable sacrifice de soi n'ait pas eu le temps d'en goûter consciemment, dans sa force, la splendeur. Ayant vu ce trou, et reconnu que la barbe jaune ne pouvait être chinoise, ayant fait ce constat policier, il semble que tout est bien ainsi, et l'on va se retirer, poliment, mais vite, comme les parents éloignés...

Mais cela pourrait « sentir » encore cette nuit : des coolies et des enfants, accourus à ce curieux spectacle d'un squelette d'Européen, s'emploient à piler dans des auges des racines d'assa fœtida. On hésite. On s'en va. Rien ne montera dans l'air... Rien n'appelle un peu d'esprit... Les bâtonnets fumants, l'odeur païenne s'absorbe et s'éteint. On recloue la bière. On lui tourne le dos. L'air gris est immobile et pesant. Que penser... que penser : pas une prière ; pas un geste.

Le mort glorieux n'est qu'un mort, total dans sa putréfaction. L'âme est morte. Rien ne s'est manifesté. Le confesseur n'a rien avoué de sa bouche déformée ; ne nous a rien appris, sinon par son crâne creux, ses yeux pourris : le triomphe cadavérique de la mort, de la chair sur l'esprit, — rien, sinon le prix même de la durée temporelle, de l'être, du voir, du sentir et du penser. Plus fort que les ignobles baumes médicaux montait le parfum de la vie.

La chose finie, l'Évêque a poliment remercié l'honorable assistance, et, inquiet sur les haut-le-cœur possibles, s'est détourné sur le pas de sa porte... engageant, simple et paternel...

— Eh ! messieurs, un petit verre de vin de messe, pour combattre les « miasmes » ?

Refusé.

17.

L'HOMME DE BÂT n'est pas ce coolie de bonne ou mauvaise volonté, muni de jambes et de bras et qui s'offre partout en Chine à soulever des poids, pour un peu d'argent, de cuivre ou de riz. Il n'est pas donné à tout homme, même solide, d'être un bon porteur. — Le portage est une science, une tradition, un sport, une profession, une ascèse. Tout homme peut devenir un grand fonctionnaire de l'Empire, mais le porteur naît porteur et ne s'improvise point par un titre.

Le portage exige en effet la réunion des qualités que voici : la force, — l'adresse, — une connaissance de l'équilibre ; une attention continuelle au terrain ; une peau solide et peu sensible au frottement ; une certaine honnêteté corporative ; de bons poumons ; une gaieté réservée ; et l'art d'arrimer au mieux du poids les fardeaux en mouvement. Tout animal de somme peut avoir jusqu'à certains points ces qualités diverses. Mais une autre échelle et une autre hiérarchie est donnée par les différents apparaux, par les divers mécanismes, par le lien choisi, intermédiaire entre le poids et le porteur, — et s'il est seul ou s'ils sont plusieurs à porter le même poids.

L'homme peut simplement porter sur son dos par l'entremise d'une hotte.

Il peut confier à un bambou flexible le soin de balancer deux paquets suspendus et d'amortir ainsi les ressauts de la marche.

Le bambou enfin peut reposer à longue distance sur deux ou plusieurs épaules, et suspendre sa charge au milieu.

Le premier moyen est simple, formidable et grossier. La hotte, reposant sur un coussinet de bourre, peut supporter un poids énorme : douze ballots de thé comprimé, de vingt livres chacun, soit : deux cent quarante livres sur les reins, les genoux, les chevilles et les plantes. Ou bien trois marmites de fonte, ou bien deux ais épais de bois de cercueil... Cela qui fait un gros bipède de stature effrayante va lentement, trop lentement au gré de celui qui veut le dépasser, encombre les sentiers de montagnes, mais arrive à tout escalader, marches et pentes où l'homme seul glisse et dévale, et qui plus est arrive à descendre sans rouler au bas. Quand cela s'arrête, on voit la pyramide sortir un bâton fourchu et asseoir un instant, sur cette troisième jambe, le fardeau colossal. L'homme à la hotte va lentement, pesamment, indiscontinûment à travers la montagne, là où les autres refusent de passer.

Le porteur élastique, au bambou bien équilibré, est tout autre : moins de la moitié ou du tiers, il n'est pas inquiet du poids, mais des balancements et des secousses : ses pieds travaillent moins que ses reins, élastiques autant que le bambou... Et il prépare à bien comprendre l'effort ambulant et dansant à la fois des trois porteurs de chaise, de la chaise qui m'enlève et d'où je médite et expertise tout ceci.

La chaise est d'abord une bien singulière expérience. Se sentir enlevé par d'autres muscles que les siens est désagréable et indécent. Perdre la notion d'équilibre volontaire est possible à cheval, si l'on a bien la bête entre les jambes, ou en bateau si l'on est à la barre, l'autre main sur l'écoute de grand'voile. Ici, aucune autre action — que la voix — sur ces mécaniques humaines qui vous emportent, un peu malgré soi...

L'enlevé de la chaise, et son vacillement est pénible. La mise au pas irritante ; — et l'on se penche malgré soi en avant, et l'on se crispe sur les bambous, augmentant le balancement... Et l'on se calme et l'on se résigne et l'on se laisse marcher, avec si besoin, le recours au sommeil. — Cependant, certains instants demeurent pathétiques : le passage d'un pont fait de deux planches flexibles ; un tournant net durant lequel la chaise surplombe l'abîme ; ou bien la dévalée dans les éboulis crépitants... Et puis, tout se calme ; et l'on n'en vient plus à se préoccuper que de la formation d'une bonne équipe.

Ceci demande du coup d'œil. Ne pas se fier à la grosseur des muscles, ni des épaules, ni des cuisses.

De bonnes chevilles-paturons. — En revanche, les masses lombaires doivent demeurer fortes et souples. — Des épaules voûtées portent bien. Exiger des soles sans défaut, des mains fines, un regard vif et surtout un bon poil : toute maladie de peau pourrait être prétexte à renâcler. Il faut se préoccuper enfin, puisqu'il s'agit d'un étalon humain, — du moral.

Ne pas choisir un époux trop fidèle ou économe, qui regrette la femme gratuite demeurée au logis ; mais plutôt un joyeux garçon prêt aux aventures de la route. N'accepter point de buveur reconnu de vin d'orge chinois, bien mal distillé dans les villages ; — et l'alcool, même impur, ne pousse point à marcher droit ! Rechercher au besoin le fumeur, silencieux, maigre et réservé. S'assurer avant de quitter la grande étape qu'il a bien fait sa provision de drogue, et qu'elle suffira à tout le voyage. Lui avancer au besoin l'argent nécessaire pour qu'il ne diminue point sa respectable dose quotidienne. Car l'opium enchérit beaucoup dans les temps visités par la moralité occidentale. Enfin s'il est blême et défait au matin, s'il a l'œil grand et béant de noir, s'il vous parle avec une respectueuse douceur expirante, soyez sûr qu'il n'a point dormi d'un vrai sommeil mais que l'étape sera bonne et se prolongera au besoin dans l'autre nuit, qu'il passera de nouveau sans sommeil. — Capable ainsi d'un effort paradoxal que nulle bête ne consentirait à fournir. Et ceci marque la supériorité sur la bête, de l'homme de bât.

D'où vient donc que malgré soi j'en prenne moins de soin que de mes bêtes ? Et surtout que je compatisse avec moins d'immédiat dans la fatigue ou le coup de rein ? Si le cheval qui me porte bute ou bronche, ou s'essouffle à galoper une côte, ou prend sa volte sur le mauvais pied, ou boite, ou est gêné par le mors ; — je me sens boiteux ou gêné, mal à l'aise, fatigué tout d'un coup de la fatigue de la bête, et je descends et la ménage avant de l'avoir éreintée. Mais un porteur essoufflé, un homme, est moins compris de l'homme qui le porte et qui ne veut point être dupé. Le cheval simule aussi pourtant, ayant remarqué une fois qu'une boiterie légère le rend libre... Mais il est soupçonné plus tardivement. L'homme se méfie plus de l'homme que de la bête. Et si l'homme qui porte est blessé, l'autre, voyant la blessure apparente, dira : « Je sais ce que c'est. Marche » là où il n'osera pas pousser un cheval jusqu'au bout de peur de le claquer sans remède, et de le voir tomber sur le flanc dans une crise, pour des raisons de mécanique animale qu'il ignore. L'homme ne meurt point à la tâche, avant d'avoir beaucoup geint ; le cheval grogne à peine, souffle un peu plus fort, et tout d'un coup n'est plus qu'un grand sac gonflé, muni d'un cou plat, d'une grosse tête sur l'herbe et de quatre jambes horizontales, raides. Et aussi : dans les pays de grand portage humain, le cheval est rare et l'homme de bât abondant et bon marché. Plus commun. Moins rare. Plus médiocre. Cela se sent, et l'on s'attache naturellement moins à l'homme vulgaire qu'à la bête rare. Je n'aurais aucun plaisir à revoir les meilleurs de mes porteurs de chaise, même celui dont les jambes longues et minces, parfaites de formes, parfaites de peau, et qui marchait pour moi bien assis, s'arrêtant à un balancement de mon coude, repartant gaiement, enlevant son portage d'avant avec décision et jeunesse... et qui mettait des fleurs aux portants de ma chaise... même celui-là, hors des grandes montagnes où il se mouvait me serait d'une médiocre rencontre comparée à la retrouvée face à face, dans le fumet d'écurie, de la bête blanche au grand trot, aux foulées de galop successives et dont chacune dépassait l'autre en avalant l'effort, et qui cependant, nerveuse et rauque au départ, assagie par la route, m'a mené de Péking aux Marches Tibétaines. Je savais d'avance comment il passerait ce pont, et l'écart à cause de ce rayon de soleil, et son refoulement de l'eau dans les gués, et sa façon convaincue de me rejoindre quand, laissé seul et nu, de l'autre côté des fleuves non guéables, il nageait en levant juste les naseaux et les oreilles. Savoir qu'il tourne maintenant une meule à fromage est pour moi un remords circulaire comparable seulement au remords de Samson. Je n'ai cure du lot échu à mes porteurs : ma reconnaissance dort bien puisqu'ils ont été bien payés.

C'est peut-être cela. On achète le cheval qui devient *à soi*. On paie l'homme qui reste indépendant, bon à tous, bon au plus offrant. Mieux valait acheter l'homme aussi, et le bien traiter en esclave, avec la parfaite entente de la force contenue en lui ; et sa nourriture, et la femelle à lui donner. Ceci est l'autre raison de connaître mon cheval favori mieux qu'un homme, de le préférer à mon porteur favori.

Mais surtout la mésentente et le mépris relatif de l'homme porté pour son porteur vient du manque d'action directe, de l'impuissance à se faire comprendre, — *musculairement*. Il faut toujours recourir à la voix! A la parole articulée! dont on aperçoit ici la gaucherie et la lenteur. « Tournez à gauche » ne vaut pas la légère pression des rênes. — Et le départ n'est jamais indiqué comme la poussée en avant de la bête glissant comme une grosse cerise chatouilleuse entre les jambes. En chaise, si l'on double les ordres de la voix de gesticulations insolites, l'on devient à la fois incompréhensible et impuissant, imprudent aussi car tout se renverse et me voilà par terre. On peut espérer mieux, comme compréhension directe, avec ces porteurs sellés d'une sorte de bât, et qu'on chevauche véritablement... et qui font partie de la cavalerie de certains petits roitelets Tibétains, qui les offrent et que l'on monte véritablement. L'idée est bonne, mais n'est pas conduite à bout; car l'on n'est encore qu'un colis sur leurs épaules et l'on n'a que la voix pour les exciter. Il fallait compléter aussi le harnachement et réaliser ainsi la parfaite monture en montagne : l'homme est vêtu selon le climat, ferré pour la glace. On l'a choisi, parmi les porteurs à deux cents livres. Dans la bouche, un mors léger, approprié à la denture humaine, et mieux encore, comme un buffle, l'anneau d'argent au nez d'où partent deux rênes minces : simple filet, car, bien choisi, on est sûr de le tenir. Des éperons dont on usera peu, seulement en cas de faux pas ou de maladresse. Ce qui fait dériver sur les flancs du porteur la peur désagréable du porté. Une bonne cravache, et, à l'étape, une pièce d'argent au milieu d'un bon bol de riz rehaussé de piments...

C'est ainsi que, balancé lentement dans la chaise étroite, je songe à l'amélioration et à l'entraînement du bétail humain de portage... il y aurait nécessairement des pacages et des haras...

Et ceci, tiré de l'expérience, est discrètement à opposer aux plus nobles et plus purs enseignements humanitaires : il est bon de murmurer, comme une leçon d'irréel, les doux cantiques de l'égalité humaine, d'une fraternité qui excuse et blanchit tout, jusqu'au noir, et de droits si éternels qu'ils eurent besoin d'une date, quatre-vingt-neuf, pour être promulgués dans notre temps.

C'est ainsi que mon porteur ayant fléchi sur les genoux, je le relève d'un sérieux coup de pied très instinctif. Il repart. Je ne songe pas à m'assurer qu'il n'est pas couronné.

Il en serait d'ailleurs le premier étonné.

18.

LA FEMME, AU LIT DU RÉEL, peut tout d'abord y sembler assez déplacée. Le grand voyage a toujours été l'antidote des chagrins amoureux, et le sport jaloux de sa force qui ne permet aucune autre dépense. L'erreur est à la fois naïve, ancienne, et d'ailleurs si souvent dénoncée qu'on aurait mauvaise grâce à appuyer : l'on n'oublie rien en voyageant : on donne à sa dominatrice un palais plus riche et plus insistant ; on convoie l'obsédante à travers un parc merveilleux que toute étape change ; si l'on a fait ce jour même quelque chose où le corps soit fier de soi, on lui consacre sa fatigue, dans un acte d'amour indirect, mais d'intention égale à l'autre. — Même si on parvient à la quitter, à la laisser en arrière, à la dépouiller de soi pour une heure de soleil vrai, un jour de marche, un plus grand effort concret à donner, on peut être sûr de la voir venir par-devant soi, au prochain détour inattendu. Mais combien tout cela n'a-t-il pas été dit. Mal dit peut-être, puisqu'il arrive qu'on en soit dupe encore.

Ce n'est donc pas de « la femme » qu'il s'agit ici, de la femme, par définition singulière, de *l'Unique* (on suppose toujours à l'amour une monogamie féroce...), mais des femmes, de « ces femmes », de toutes ces femmes, au pluriel prononcé avec dégoût par l'Unique, de celles-là que l'on rencontre sur la Route.

Celles-là ne peuvent pas être traitées dans l'abstrait ; et c'est ici que l'Imaginaire doit s'abstenir de parler ou d'apparaître, ou bien les pires bévues s'apprêtent. Déjà redoutable en Europe, auprès de nos sœurs raciales, l'illusion deviendrait ici pire que toutes les glissades sur chemin dévalant au fleuve. Il ne faut pas se laisser conduire ni aux apparences, ni à ce que l'on sait, ni surtout à ce que l'on désire. La montagne libre et haute a déjà époumoné des gens qui la voulaient gravir à coups d'aile. La femme étrangère, la femelle ambrée, olivâtre ou jaune, ou de teint chaud comme les terres italiennes, sépia et d'ombre brûlée, vous réserverait des à-plats déconcertant davantage... Je veux parler exactement : de la femme Chinoise, de la Neissou, de la Mosso. Enfin, de la Tibétaine.

La femme Chinoise, plus que toute autre, demande à être *achetée.* Comme dans tout marché chinois le rôle des intermédiaires est important, si important que la conquête de l'objet, fort atténuée par les débats nécessaires, aboutit péniblement à une pure et simple livraison. — Quant à l'objet, il a pour première valeur d'être exotique au plus haut point. C'est la transposition lunaire de gestes qu'on doit dire féminins, mais à l'extrême des autres. La beauté chinoise doit être reconnue, mais dans un monde différent du nôtre. Il y a beauté, indéniable, et parfois si hautaine, si lointaine, si picturale, si littéraire que d'autres sentiments peuvent s'incliner devant celui-là : une étrange stylisation vivante. Mais combien peu conduisant à l'étreinte corporelle... C'est le triomphe austère et chaste du Divers. La femme Chinoise, par aucun trait, ne se rapproche de la nôtre : la belle Chinoise n'a aucun geste, aucune manière d'être, aucune mode qui puisse servir de mode (malgré des essais contemporains) — et surtout, la beauté chinoise, le parangon de la beauté chinoise, cristallisé depuis la grande peinture des T'ang, — n'a rien que nous puissions imiter ou emprunter. — Ce n'est point parce qu'elle est étrangère, étrange et rare par nature... Dans presque toutes les autres races, certains traits peuvent servir d'union entre notre beauté sexuelle et les autres : certaine coiffure bouffant sur le front, certains sourcils dans une figure ovale étaient fort japonais, et l'on pouvait s'en éprendre, parmi nous...

La broussailleuse chevelure éparse d'une belle sauvagesse, le port splendide, les yeux et le grain de peau maori sont d'inoubliables leçons... mais la Chinoise contemporaine ne peut rien apprendre, ne peut rien transmettre à sa comparse de chez nous, — car laide, elle est plus honteuse qu'une femelle de phoque putréfiée, — et jolie, déjà détournant du sexe, et belle, selon les rites chinois, — belle au-delà de toute commune mesure : ses joues se laquent, ses

yeux s'immobilisent ; sa poitrine disparaît chastement, son ventre, on ne sait pourquoi, bombe et se
dandine, chastement aussi ; ses cheveux chargés
d'émail gras, accusent un ovale impassible ; sa
bouche est petite, petite, trop petite, trop ronde...
et parfaitement belle ainsi... paraît-il...

Enfin, les modes actuelles tendaient au boudiné
des membres. Vraiment il n'y avait plus de féminin
là-dessous ; et les meilleures apparences, au gré
même de la tradition, ne se trouvaient plus qu'au
théâtre. Là, dans les pièces antiques, se revoyaient les
longues jaquettes onduleuses, les robes à franges sur
les pieds, et toute l'arabesque dessinée par un corps
de femme dans les airs, comme l'idée et l'élastique
imaginaire dans l'esprit... Seulement, au théâtre,
dans les meilleurs théâtres, ces rôles étaient justement tenus par des hommes : de jeunes garçons...

De Péking au Tibet règne donc la femme Chinoise, du nord au sud, de l'est à l'ouest, avec l'empan
de la carte géographique, la chaste Lunaire Emaillée,
triomphe, perverse par antinomie sans doute. Mais,
ayant traversé toute la Chine, de Péking au Tibet, on
se trouve soudain face à la première femme non
chinoise ; c'est la Neissou, la femme-femelle du
Lolo ; qu'on ne peut vraiment appeler une Lolotte...
ou bien tous les jeux de mots seraient permis. Je
rendrai donc à la race Neissou le nom qu'elle réclame
pour elle. Je dirai donc les charmes inattendus de la
femme Neissou, apparue tout d'un coup, au tournant d'un sentier en territoire non chinois... Et
d'abord, c'est une femme, même si elle est très

vieille, car elle porte jupons et chapeaux de femme. Si elle est jeune, c'est encore mieux qu'une femme : une fille. Le mot, prostitué, ne se peut remplacer par aucun autre. C'est une fille, celle qui surgit au détour du chemin, jeune, maigre et dansant comme la chèvre, et qui rebondit sur ses pieds ; puis immobile et dévisageant l'étranger, les yeux grands et fixes plongés tout entiers dans les miens (une Chinoise regarderait innocemment la terre, et sournoisement le dos et l'allure du passant...) vire tout d'un coup, et s'enfuit en éclatant de rire...

Ici, l'attente ou la provocation est directe. La chasse est tentante. Poursuivre la fuyarde à travers les sentiers de ses domaines serait plein de fièvre, de halètements et de déconvenues... Il faudrait, plus que de son esprit ou de sa grâce, être bien sûr de ses jarrets... Plus que de ses jarrets, il faudrait, au déduit, être bien sûr de soi. Mais avant que d'en arriver là, tant de faux pas ou d'hésités... Il est vrai que le but est superbe et sain. C'est la mince et robuste jeune fille musclée, ambrée, la lutteuse autant que l'amoureuse, et le muscle, roulant sous la peau fine, sans l'apparat de la graisse collée qui l'épaissit et émousse le corps vivant. La graisse à la mode, — du féminin trop nourri, trop sûr de lui... trop sûre d'elle.

Mais durant l'évocation rapide, l'objet a fui, et le désir disparaît dans son sillage. Et la femme Neissou, apparue posée sur sa terre, toute droite, comme une flèche retombée du ciel, et qui vibre, n'est qu'un but lointain que je n'atteindrai pas.

On peut songer qu'elle, au moins, comme son pays indépendant, est restée vierge ; sinon de l'assaut de ses mâles, du moins des romans d'amour distillés par nos voyageurs français. Personne, jusqu'à ce jour, ne s'est vanté d'avoir aimé une Lolotte !

J'en arrive donc à la pure Tibétaine. C'est à elle que l'on parvient, ayant traversé de bout en bout toute la Chine. Voici, après la Chinoise méticuleuse, — après la fille évanouie dans sa cambrure jeune, voici, semble-t-il, un réconfort de ce que l'on peut souhaiter... Une femme vêtue de loques rutilantes ; de beaux rouges tiédis par le soleil ; de garances violets ; de violets rougis par l'air vif des hauts sommets qui fait aussi rougir les peaux. Brunes et vives elles portent de gros bijoux d'argent, émaillés de pierres de couleurs. Rouges ou bleues, ou turquoise aussi. Beaucoup de ces turquoises sont vivantes.

La femme Tibétaine est défendue contre les idylles et contre les possessions, — mieux que par les morales... (et pourtant leurs morales sont hospitalières, écossaises et polygames), mieux que par les prescriptions que les lamas sont les seuls à enseigner dans leur pays, et d'ailleurs les premiers à ne pas suivre... La femme Tibétaine est bien protégée, bien immunisée par son beurre ; — son beurre rance et ancestral. On sait qu'il faudrait de nombreux bains pour la rendre pure, ou moins odorante. On sait qu'il faudrait des pratiques véritablement étrangères, pour la rendre docile à l'amour... On lui laisse toutes ses habitudes, on se gardera bien de la dépoétiser ici...

Mais son attrait, il faut l'avouer ou le crier, est fait de tout ce que ses mâles, ses yacks, son pays, enfin, vient puissamment déverser sur le visage de l'intrus qui se risque jusque-là.

Son attrait est fait de ses montagnes ; de son inaccessible, et de tout l'air de toutes les cimes qui l'ont rougie et durcie.

19.

CEUX QUI « VIVENT » SUR LES HAUTS PLATEAUX[1], bout au vent des montagnes, sous la pluie et sous le temps ; Claudel et Mallarmé, Ronsard et Jules de Gaultier. — Ceux qui s'éparpillent : les écrivassiers de romans, surtout vécus. — Seul existe le Mot pour lui-même : le contour du style, la forme enfin. Tout « document » livresque disparaît ; et surtout l'anecdote.

Mais qu'un Claudel écrive : « La Buse plane dans l'air liquide » et voilà qui vaut en espace aérien le grand versant de l'air incliné aux flancs du mont.

Leitmotive durs comme la marche ascendante. Les phrases *qu'on remâche comme les feuilles de la kola*. Elles n'ont plus bientôt de sens, comme une feuille mâchée n'a plus de goût. Mais leurs propriétés, leur valeur énergétique restent grandes. Et le refrain

---

1. De ce chapitre les premières lignes seules furent écrites avec la mention « voir Feuilles de Route 483-484 ». On donne ici le passage des « Feuilles de Route » de l'auteur.

tonne intérieurement à coups rythmés : « Je me souviendrai de toi, Ceylan !... » — « Délaisse les peuples vaincus, qui sont sous le lit de l'aurore... » Comme un Tyrtée chantant boiteux, les temps forts frappés d'un coup de hanche. Alors le pied se fait élastique. Le rythme intérieur a la dureté, la réalité de ce grès rouge qui bondit sous mes pas, de pas en pas.

Imaginaire   liée pour lui   *réalité*   *Réel*

l'arrière monde ce qui est fait   l'avant monde ce qui vient

20.

mon idée de la réalité — mes représentations — imaginaire

Réel

L'AVANT-MONDE ET L'ARRIÈRE MONDE, cela d'où l'on vient, et cela vers où l'on va... La mémoire amplificatrice et dansante, la belle infidèle aux apparences minutieuses, est sœur, de même race et de même essence que la prévision nourrie d'avance d'images et d'émotions... Et il faut s'examiner beaucoup, se forcer même un peu à trouver du nouveau personnel, de l'imprévu, et ce choc incomparable du Divers, là où des gens qui ont écrit et parlé la même langue, ont déjà passé en abondance. La limace laisse sa traîne et le goût de sa bave... Autre chose est de marcher en terrain neuf où personne de sa race et parfois personne d'aucune autre race, n'est passé. Enfin, autre chose est de marcher le nez au vent, soucieux de la pluie, en paysan, ou des fleurs, en botaniste ou en poète, ou des femmes, de plus en plus faisandées, en chasseur de venaisons étranges, — et de tenir en main la boussole éclimétrique, fixant à la fois l'angle de route et la hauteur, — le télémètre, qui donne

choc entre l'avant monde et Réel

rapidement, d'un tour de doigt, la distance, — l'hypsomètre, qui est le moins capricieux, le plus naturel des mesureurs de montagne puisqu'il est fait d'eau bouillante et de mercure bien calibré.

Alors tout change. Les apparences se résolvent en deux catégories, aussi antinomiques que les douze Kantiennes... et le terrain se partage en deux antipodes : ce qui est fait. Ce qui vient.

imaginaire *réel*

On va, non de l'acquis à l'irréel, mais il semble que chacun ici, suivant le degré qu'il a de joie à regarder soit en arrière, bien assis, bien connu, soit en avant, peut mesurer son initiation au réel, ou ses préférences pour l'imaginaire.

pour lui l'imaginaire

Ce qui est fait est encore pis que connu : mesuré. Des pas tous appendus au point de départ. Des pas chiffrés, dont chacun, traînant ou joyeux, n'est plus qu'un cran sous le cliquet du podomètre. Autour de ce serpent réduit à sa ligne rouge, les vallées mènent leurs rigoles, les mamelons se cambrent, les lignes de partage s'ordonnent impérieusement comme la plus grossière des lois naturelles ; les ruisseaux vont on sait bien où. Tout ce que l'on voit, que l'on piétine et que l'on flaire se tasse peu à peu, s'ordonne et se rassemble. Ce n'est point sur une carte. Mais on fait soi-même la Carte, et sous les pas, sous les doigts et le crayon, le grand blanc provisoire se grisaille, l'inconnu se dépèce et se dessine, l'imprévisible devient le déjà vu et s'écrit. — C'est, à la fois un grand repos, — un repos repu de connaissance, car l'en-allée topographique qui est une conquête sans cesse victorieuse du pays, une emprise intellectuelle,

le réel devient l'imaginaire

une compréhension aussitôt ordonnée, une mise en valeur, en cotes et en fiches, du pays, de la région ainsi abordée, ainsi dominée... au moyen de quelques lignes de niveau, de chiffres et de traits de convention.

Est-ce domination ou connaissance absurde ? Est-ce un gain ou une défaite ? Le pays blanc sur la carte est plein de reculé et fourmille de monstres. L'arrière-monde ici n'est plus qu'un peu de papier noirci. L'avant-monde, au contraire, à mesure qu'il recule et s'étrécit, se concrétise, se resserre, augmente la densité des possibles qu'il étreint, et permet tous les aiguillages, tous les écarts bifurcants. A chaque instant, prêt à saisir la route antérieure, on peut croire la voir plonger dans ce bas-fond repéré, solidement tenu entre les deux versants, ou bien s'évader, se perdre et fuir dans les gorges inaccessibles. — Alors, faut-il descendre avec aises ? dévaler le sentier marchand ? On peut hésiter, car la plongée dans le blanc, l'Espace en aval, est confuse. Ce qu'en peuvent dire les gens d'amont est contradictoire et se détruit. C'est la meilleure des routes, ajoutent-ils, puisqu'en bas l'étable est bonne. Je suivrai donc l'autre, la route vers l'impossible, la route impériale, la route aux chemins du passé. Et j'ai ainsi raison d'avance, contre les contradicteurs.

Certains disent que là... là... (ils montrent le ciel par-dessus trois monts triangulaires), il n'y a *rien*. C'est bien. Je ne vois rien par là. En bas, c'est bien ce gros village marchand, « village des Puits de Sel Blanc »..., et les chroniques locales n'indiquent rien de plus... Si! comme un lieu détruit qu'on mentionne sans y croire, — comme un fantôme dont on n'est pas bien sûr s'il est là, voici cataloguée la Ville Antique des Trous de Sel Noir — l'antique Hei Yentch'ang — sans nulle localisation logique... et d'ailleurs, les Livres ajoutent le caractère si redoutable dans la course au passé : « Fei »... est tombée, a failli... n'existe plus... ou bien encore : Place préfectorale déclassée... Ville anéantie par ordre...

Je suis la route, la route antique aux vertèbres dallées ; je reconnais le style des anciens hommes. L'écartement des pas, le poli vénérable, c'est une vieille route qui doit bien savoir son chemin.

Elle prend ce tour indescriptible qu'il faut bien décrire quand même. Accrochée à la falaise violette, elle bondit par-dessus les gros levains erratiques de grès noir, — sinueuse dans tous les sens comme la colonne infinie du dragon. Brusquement la voici perdue sous une futaie où elle se prolonge cependant, d'où l'on ne peut plus enfin regarder en arrière. — D'où l'on ne peut plus voir d'où l'on vient...

La route qui menait ici est étouffée, est perdue, est mangée de plantes et de mousses... il faut bien marcher quand même, aveuglé, marchant de ses mains puisque les pieds trébuchent... Et me voici, débouché, étonné de lumière et du nouvel espace, dans un très nouveau, très haut et très cerné canton du monde. Une vaste cuve baignée d'air, d'un ciel neuf, et pleine jusqu'aux bords de calmes cultures. Des chiens familiers aboient. Des fumées montent dans le soir. Les montagnes, très hautes à l'entour,

97

non pas implacables, mais douces, font de ceci un canton évidemment isolé, évidemment inconnu du monde puisque mes gens et les habitants d'en bas l'ignoraient. — Je songe ironiquement combien cet improviste village presque imaginaire est cerné, entouré, et réalise le vœu littéral du Vieux Philosophe : « Que d'un village à l'autre ne s'entendent les abois des chiens... ni les appels chantants des coqs. »

La route a changé tout d'un coup d'aspect, la route moussue, la route morte que personne évidemment ne menait plus : il y a bien trois cents ans que personne n'avait passé là ! En revanche, c'est maintenant un sentier vivant dans la terre. Tous les jours, des pas se posent par ici. Et voici en effet, à ma rencontre, un troupeau de vieillards, jacasseurs, lents et doux : je vais leur demander accueil, je vais leur témoigner mon gré de ce qu'ils existent bien réellement là où mes gens avaient affirmé leur vacuité néante, leur absence... ils me donnent raison... Je vais donc...

Mais je reste devant eux, étonné, sans voix, sans autre émotion que cette angoisse (non pas qu'ils soient très différents des autres vieillards, dans les autres villages, que j'ai coutume de rencontrer). Ils n'ont pas en effet de tresses mandchoues, contemporaines.., ils ont la coiffure enchignonnée du vieux Ming et les longs vêtements que peignent les porcelaines. Ceci est moins troublant que l'air étrange de leurs yeux ; car, pour la première fois, je suis regardé, non pas comme un objet étranger qu'on voit peu souvent et dont on s'amuse, mais comme un

98

être qu'on n'a jamais vu. Ces vieillards, dont les paupières ont découvert tant de soleils, me regardent mieux que les enfants dans les rues les plus reculées...

La curiosité chinoise donne envie de cracher à travers la champignonnière des figures écarquillées. Mais, ici, rien que de noble, et un grand exotisme à l'envers : ces regards sont plus inconnus que tout ; évidemment, ces gens aperçoivent pour la première fois au monde, l'être aberrant que je suis parmi eux. Je me sens regardé sans rires, dépouillé, je me sens vu et nu. Je me sens devenir objet de mystère.

Ces gens seraient donc d'un autre âge... En effet, ils n'ont point la tresse... encore... seraient-ils d'avant la conquête tartare ? Ils auraient alors près de trois cents ans de recul... Et ce sont bien les longs gestes des Ming, le style et l'ancestrale humanité à six ou sept générations, des vieux Ming. Ce sont bien les gestes saisis et flambés et vitrifiés dans les porcelaines. Ils vivent cependant. Vont-ils parler ?

Je m'enquiers du nom du village. C'est précisément le doublet antique des marchands d'en bas. C'est le Trou du Sel Noir, cette sous-préfecture évasive que les Annales déclarent abolie depuis l'antiquité, — et l'on ne sait s'il s'agit de cent ou de mille ans. Une crainte grossière : il n'y a sans doute pas d'auberge ici. — Je vais demander qu'on me loge au temple toujours vide du Wen, de la littérature, ou bien dans la maison du Voyageur... Mais personne évidemment ne s'aventure jusqu'ici. Il faudrait, pour cela, des échanges de présents. Qu'ai-je sur moi ? Les

99

bagages pesants ont tous plongé dans la vallée... Et
je suis seul... Je ne puis donner que des formules de
politesse ancienne, d'ailleurs, fort bien accueillies.
Puis je demande si quelque étranger est déjà passé
par ici ? On se souvient... oui, peut-être, voici trois
cents ans. Mais il parlait purement le chinois
antique, et était vêtu comme un Chinois. Ses yeux et
ses pensées indiquaient seuls son origine... Il propo-
sait une morale et des préceptes un peu divergents...
Il acceptait la vénération des ancêtres... Il parlait
d'un Esprit du bien et du Juste, mort pour sauver
tous les hommes de la mort. Cependant, depuis lors,
les hommes mouraient aussi bien. S'il parlait de ses
contemporains, il montrait de curieuses images
d'hommes avec des cheveux longs et blancs, tressés
comme ceux d'une vierge.

Oui, quelqu'un avait passé devant moi ici, affir-
mant ainsi, à deux ou trois centaines d'années,
l'existence de ce lieu dont je doute encore. Je crois
bien me souvenir que sur les cartes de notre dix-
huitième siècle, ce lieu est bien marqué, sous son
nom et son importance antiques, et disparaît ensuite
du lot de nos géographes vivants... Je n'ose pas
interroger plus loin. Mais je pressens tout d'un coup
comme un éclair que ce sont là peut-être les
descendants du puissant général fidèle, Wou San-
k'ouei, qui, vaincus par les conquérants tartares aux
longs cheveux tressés, vinrent se réfugier ici, et se
faisant, pour vivre, oublier, derrière le rideau des
montagnes, ont peut-être oublié leurs temps... Peut-
être. Ne pouvant se hasarder ailleurs, ils se canton-

100

nent ici. En effet, ils me questionnent. « Où en est la grande affaire des Grands Ming, la dynastie ? la légalité, la filiation... Quel est le nom dicible du Fils du Ciel vivant aujourd'hui dans la Capitale du nord ?... »

Je ne puis évidemment pas répondre. Les Grands Ming sont périmés et abolis autant que leur ville, depuis trois cents ans. Je ne puis les déconcerter à ce point... Leur dire que les Nomades du nord se sont assis sur Péking est une injure qu'ils ne croiraient pas possible... Mais, plus grave et plus pressant que tout : si quelqu'un de mes gens vient me rejoindre ici ! Si le moindre muletier suit mes pas à la piste et vient me chercher pour me remettre dans la vraie route, vers l'étape... — Ils verront ! Ils verront sa tresse noire et grasse, pendant jusqu'aux talons ! Ils verront que tout homme ainsi dans l'Empire de ces jours, a subi le joug et laissé pousser ses cheveux jusqu'aux pieds ! et sauront que l'on coupe le cou à tous les autres... Ils sauront ainsi que leur droit de vivre est passé, que leur vie est périmée, que leur ville, déjà décidée par acte, déclassée, est inexistante et de trop. — Peut-être que ces vieillards doux et chevrotants tomberont en poussière, sur mes pieds...

Je me retire. Je m'en vais à reculons, loin de leur vie trop prolongée. Je n'éclaircirai point leur droit administratif à la vie. Et quand, ayant retrouvé aisément le village du Puits de Sel Blanc, parmi l'accours joyeux de mes gens, et la table servie, je ne demanderai pas où est l'autre ville ancestrale et abolie, d'où je viens, je ne trahirai pas présomptueu-

l'imaginaire au fond du réel en vie

101

sement le passé qui a miraculeusement réussi à vivre...

Mais, sachant ma recherche, et mon crochet vers la montagne, le lettré qui m'accompagne me montre dans les livres le mot *Fei* et au-dessus de la porte de la ville une affreuse pancarte où l'on peut lire :

Lieu de l'antique Trou de Sel Noir... Il ajoute : ce souvenir, le nom, est tout ce qu'il en reste.

Je ne le détromperai pas. Je ne porterai point sur la carte précise, au milieu de mots topographiques, l'existence dans l'espace de ce lieu paradoxal, imaginaire peut-être, et qu'on ne retrouvera point officiellement après moi.

Ceci est un rêve de marche, un rêve de route, un sommeil sur deux pieds balancés, ivres de fatigue, à la tombée de l'étape...

21.

JE MANQUERAIS À TOUS LES DEVOIRS du voyageur si je ne décrivais pas des paysages. — Le genre est facile. C'est un exercice et un sport. Et l'abondance même de ce qu'on a lu permet de passer facilement du souvenir visuel au « mot qui fait image ». Un paysage en littérature est devenu le plaisant chromo verbal. On en est même venu à discréditer la vision pure, jouissant d'elle seulement. Voir, pour certains voyageurs : ils ont ouvert les yeux en récitant les mots expressifs. Souvent le rythme de la vision s'est par avance cliché dans des phrases et découpé dans des alinéas. Cependant, je resterais impardonnable de me taire sur un sujet si attendu. Il s'agit ici d'un Voyage et le principal argument du voyageur, la description, est, par fatalité, absente jusqu'ici.

Ce n'est point par omission ni dédain du paysage. Ce n'est point par oubli des paysages vus ; j'en ai vu ; j'en ai regardé ; ce n'est point par déconcerté ni discord entre ce que j'avais imaginé, et ce que je découvrais avec un émerveillement naïf malgré lui... Car je n'ai jamais, jamais trouvé face à face les panoramas de rêve rêvés. Je les conserve avec piété. Je les compare parfois avec leurs protagonistes, leurs parèdres réalisés...

Ce n'est point de ceci, de ces imaginaires qu'il peut être question dans ce texte au jeu double. J'ai vu, dans mes yeux faits de membranes sensibles, de gelées transparentes et de rayons, mes yeux baignés d'humeurs et de lumières, j'ai vu des étendues pleines d'espace, de dessins, de plans colorés, et d'autres choses, indicibles avec des mots ; — sans que jamais imaginées telles...

Paysage en Terre Jaune. Réellement fait tout entier de terre, et de jaune, mais enrichi de nuances, jaune-rose dans le matin, jaune-saumon dans la lumière occidentale, blême vers midi, pourpre violette dans le soir, et noir plus que noir dans la nuit, — car n'y pénètre même plus la lumière diffuse. Les plans, les découpures, et l'architecture falote, fantastique, est plus surprenante que les couleurs. La terre jaune qui recouvre plaine ou montagne est taillée en brèches et failles et grands coups de sabre verticaux, et ses constructions en équilibre croulant ne sont que lames, crêtes, pics, murs naturels, créneaux inattendus, romanesques imitations par le jeu des pluies des ruines romantiques... Et ce chaos, enclos au fond des vallées, plus souvent abordé d'en haut par une route toujours paradoxale, mangée sans cesse par les éboulis... Une route que le piétinement séculaire a fait souvent entrer profondément dans la terre, et qui étend son coup de sabre horizontal à travers un pan de montagne ; étroite à l'empan de l'homme, recreusée de petites cavernes où les chars à reculons s'abritent pour laisser passer l'autre... Un imprévu irascible et pas sérieux dans les formes dramatiques d'une falaise que l'ongle entame. Ce serait puissamment beau et étouffant si ce n'était point là de la terre bruissant dans ses continuels décrépits... Comme l'architecte le roc, et le puisatier la nappe souterraine, on cherche sans cesse le soubassement véritable de ces formes folles et grêles, l'assiette de cet ébouriffant carton-pâte. Et, nerveux de tant de dépenses de formes peu solides, on ne trouve de répit et de calme qu'en montant le plus haut possible, en s'évadant des régions basses et chaotiques, vers les hauts plateaux paradoxaux où la plaine calmée règne et s'étire sous le ciel. L'orgie est en bas, ici au rebours de toutes les autres montagnes. Il n'y a point de pics convulsés dans les hauts, et l'image benoîte de la riante et paisible vallée abreuvée est un non-sens. L'habitant de ceci doit tenir les crevasses basses pour les lieux hantés ; et les hauteurs ne sont que quiétudes. Je n'imaginais rien de semblable à cela.

Ni rien de semblable aux millions de collines rouges ondulant pendant deux mois de route dans la province occidentale de la Chine ; ni rien d'écrasant comme les abords et les premières marches et l'accès vers le Tibet, donjon asiatique...

C'est au moment même qu'ayant traversé le fleuve qui en vient, pour, de là, drainer toute la Chine ; c'est là, qu'émerveillé, étonné, et repu de tant de paysages minéraux, seul depuis de longs jours avec moi, et sans miroir, n'ayant sous les yeux que les fronts chevalins de mes mules ou le paysage connu des yeux plats de mes gens habituels, je me suis trouvé tout d'un coup en présence de quelque chose, qui, lié au plus magnifique paysage dans la grande montagne, en était si distant et si homogène que tous les autres se reculaient et se faisaient souvenirs concrets. Ma vue habituée aux masses énormes s'est tout d'un coup violemment éprise de cela qu'elle voyait à portée d'elle, et qui la regardait aussi, car cela avait deux yeux dans un visage brun doré, et une frondaison chevelue, noire et sauvage autour du front. Et c'était toute la face d'une fille aborigène, enfantée là, plantée là sur ses jambes fortes, et qui, stupéfaite moins que moi, regardait passer l'animal étrange que j'étais, et qui, par pitié pour l'inattendue beauté du spectacle, n'osa point se détourner pour la revoir encore. Car la seconde épreuve eût peut-être été déplorable. Il n'est pas donné de voir naïvement et innocemment deux fois dans une étape, un voyage ou la vie, ni de reproduire à volonté le miracle de deux yeux organisés depuis des jours pour ne saisir que la grande montagne, versants et cimes, et qui se trouvent tout d'un coup aux prises avec l'étonnant spectacle de deux autres yeux répondants.

22.

CES APÔTRES (À LA CHINE) POUR-
RAIENT ÊTRE de grands voyageurs, car ils vont
presque aussi loin que les plus hardis ; ils pourraient
être de beaux précurseurs car on les trouve là où
personne souvent n'avait pénétré. Ils pourraient être
intelligemment les rois étrangers de certains districts
des confins, car leurs fidèles se rendent compte que,
non Chinois, ils représentent une autre humanité. Ils
pourraient être évangélistes et manieurs de foule, car
ils ont dans les traditions qu'ils récitent, tant
d'exemples de croisades et de surgies soudaines de
foi... Et ils ont aussi une doctrine, dont l'étendue va
jusqu'à expliquer l'inexplicable, qui a réponse à tout,
pardon pour tout, et qui, augmentant par son
application les biens terrestres, conduit sans trop
d'ascèse à des biens éternels. Ils devraient donc,
depuis les quatre ou cinq cents ans qu'ils ont mis le
pied sur la Chine (par le Sud), précédés de leurs
nombreux devanciers un peu trop négligés dans le
Nord, ceux-ci précédés des Nestoriens qui tout en

compliquant le problème dogmatique leur frayaient néanmoins la route... — ils devraient donc tenir en leurs mains spirituelles la plupart des quatre cents millions d'âmes d'un peuple peu réfractaire à la morale médiocre et mitigée du plus grand nombre, du bon sens, du double bonheur assuré.

Et c'est ainsi qu'on pourrait les imaginer : détachés de tout, hors de la conquête spirituelle, méprisant les biens palpables, n'habitant pas ici ou là mais prêts à se jeter sur les contrées infidèles ; recevant ce qu'il faut pour vivre, afin de ne rien demander pour eux, et de tout donner de ce qu'ils reçoivent à d'autres ; — limitant même ce douteux trafic en argent ; — s'efforçant de toucher les cœurs, appelant tous et toutes vers eux mais refusant avec dureté tout baptême équivoque, toute conversion où la grâce serait capitalisée et placée. — Sur eux-mêmes, très méticuleux de la toilette de leur âme, qui serait ardente et farouche, passionnée dans un corps férocement chaste, — d'une continence d'autant moins méritoire que l'autre sexe, à la Chine, vu dans les villages et les champs, est plus détournant qu'attirant. Ils devraient enfin, parfois, pénétrant à la tête d'une foule ivre de foi dans les temples où les dieux adverses étalent leurs gros ventres, s'en aller crever des idoles d'autant plus creuses et fragiles qu'elles ne sont point ici de marbre comme dans les temps premiers du Seigneur, mais de torchis et de carton-paille... Ils réserveraient les coups plus durs pour l'Église chrétienne Réformée, vide d'idoles, mais remplie de confusions d'autant plus redoutables, et qui se sert, dans la langue infidèle, de termes souvent identiques... C'est ainsi qu'ils marcheraient vers la plus grande évangélisation du plus vaste pays humain du monde entier.

On peut les imaginer ainsi. On les joint ; ce ne sont pas de *grands voyageurs,* car ils ont une vision singulièrement locale de ce qui les entoure ; et un critère déplaçant : ils ont fort peu d'influence malgré leur toujours bonne entente avec l'autorité ; cette influence se concrétise d'ailleurs assez vite autour des deux points temporels : gain des procès catholiques, et possession habile à s'agrandir du lopin sur quoi se bâtit la mission. — Ils gagnent peu d'adultes marquants à la foi : le baptême s'applique surtout au nouveau-né. Il n'y a plus de ces illuminations célèbres. Le nombre des convertis, eu égard au chiffre total du pays, est infime et presque inexistant. Eu égard aux efforts déployés dans ce sens, déconcertant, décourageant..., si les efforts de l'Église rivale, réformée, plus considérables encore, n'avaient abouti à moins encore. Et ils ne sont point détachés de tout, mais fortement attachés à la terre. Posséder de la terre, en ce pays où la terre, parèdre du ciel, fut divine autrefois, en ce pays où nul autre Européen qu'eux-mêmes ne peut être propriétaire ; — posséder de la terre et l'agrandir est leur joie et leur consolation... leur conquête n'est plus spirituelle et paradisiaque : mais ils ont acquis à peu de chose ce morceau de plus, cette enclave, ces dépendances de pagodes, cette tour païenne, — mieux encore : la chose est « paraphée, sigillée, enregistrée » — les notaires ont donné : le laboureur peut se camper sur son champ et dire : c'est à moi. — Parlant du nombre de convertis, je n'ai jamais vu luire dans des yeux évangéliques cet éclat de terroir du vieillard né en Beauce ou en Champagne, et qui, pauvre chez lui, souvent, recueilli, élevé, expédié, installé, planté là sur l'orée des grands monts Tibétains voit s'accroître sur ses vieux jours les rizières cultivables autour de la mission, *son* domaine.

Ou parfois la lueur est noble, détachée de la terre, bien que seigneuriale et chargée d'aïeux, mais alors, quelle ironie méprisante de grand aloi dans cet aveu d'impuissance à faire pénétrer la lumière dans ces âmes obscures !

Serait-ce qu'il faut s'en prendre à la Lumière ? au dogme, à l'Evangile ici apporté ? Mais il a, en d'autres temps, sur d'autres peuples, montré sa puissance et son pouvoir d'illusion... Et d'ailleurs, sur ces mêmes peuples, Chinois du Nord, des Wei, du pays de Pa, et Tibétains de Bod et du Kou-Kou-noor, et Bouriates sujets du Tzar, et Birmans, Cinghalais, et durs montagnards du Nepal, le Bouddhisme, — qui parfois, perverti et transformé en religion, affublé de rites et peuplé de dieux adventices, — lui est assez comparable avec sa tiède morale pratique, — a pénétré abominablement tous les bourgeois et paysans de l'Empire, toutes les classes rassasiées de peu, sensibles, domestiques — et parfois touché des Empereurs que leurs sujets devaient ensuite racheter aux moines pour dix milliers d'argent !

Ce n'est pas la doctrine qui est en cause ici, forte ou faible, vraie ou fausse, car ces quatre mots restent des mots. Mais c'est qu'ici la doctrine paraît absente. Si elle était là, elle se manifesterait, peut-être, et d'abord, permettrait une certaine unité. Voici des hommes dont ce qu'ils disent est préparé d'avance, codifié, catéchisé. Les mêmes mots, depuis deux mille ans ou Nicée. Or, transplantés, leurs gestes sont parfaitement différents : les uns polis et nobles, généreux, d'autres avares, retors, il y a des lubriques que l'on surprend couchés avant la messe, des sages, des saints ; de beaux esprits, des paysans. Les uns sont propres, les autres sales... toutes qualités humaines, là-dedans. Où est le divin ?

Ce qu'ils enseignent ? Du vent à travers des lèvres. Où est le divin ? Dans ces lieux vierges et reculés je l'imaginais possible... Où est le divin ? J'ai trouvé des hommes.

23.

IMAGINER, SUR LA FOI DES TEXTES,
que l'on va, dans ce lieu précis, découvrir une belle et
archaïque statue de pierre de cette époque puissante
et humaine des Han, — si avare des pierres taillées
qu'elle nous lègue... — et se trouver nez à nez avec
un moignon informe de grès, est encore une déconvenue. Celle-ci, irrémédiable. Aucun espoir de
découvrir un peu plus loin la statue qu'on ne trouve
pas. Aucun espoir qu'elle soit gardée obscurément
dans la terre d'où peut-être d'autres la feront bondir à
la lumière. Elle n'est pas perdue ; elle n'est pas
égarée. Elle est là.

Elle est malheureusement là : émoussée, écornée,
mieux ou pis que brisée : sucée par la pluie qui l'a
délavée comme un enfant son sucre d'orge ! —
J'aimerais mieux la trouver en miettes reconnaissa-
bles. Mais toutes les arêtes ont disparu, toutes les
lignes vivantes ont fui. La localisation est impitoyable. C'est bien elle. C'était elle, plus disparue que
perdue, puisque les formes et ce qui lui donnait

existence, ont fui, léchées, absorbées ; et qu'il n'en reste que le caillou, la matière, ce grès de mauvais grain...

Cependant, par piété presque superstitieuse, par habitude, je dessine. — Je dessine ce reste informe. Et lentement, mais sûrement, ce que mes yeux ne voyaient pas, le crayon et les mouvements instinctifs de mes doigts le ressuscitent. Aucun doute. C'est bien ce tigre râblé et sexué des Han. — Le corps allongé, le torse fort, et cette cambrure du cou... et ce port de la tête absente ; ce rejet orgueilleux de l'encolure, ces pectoraux puissamment cannelés. Je dessine. Le fait se produit. Les formes se *développent,* à les poursuivre dans la pierre, non pas avec le léger contact du regard, mais à deviner musculairement l'effort du ciseau dans la pierre ; elles se formulent ; elles se fixent ; non plus dans cette matière décidément trop périssable, mais dans l'espace fictif où l'imaginaire se plaît. — Là où les peintres sont maîtres. L'espace que les sculpteurs débitent en volumes, et habitent... Je dessine toujours, je suis des lignes irréelles, mais conductrices.

Des méplats s'étalent doucement, des modelés apparaissent et se confirment. Voici la cambrure de l'épaule ; l'attache du cou ; voici l'avancé caractéristique de la cuisse nerveuse sur le ventre... Et ce n'est pas une première fois.

Pour la dixième peut-être, le phénomène fut. Cette apparition d'une forme antique débordant son bloc émoussé... C'est une évocation magique et logique : il suffisait non plus de regarder, mais de reformuler docilement : les gestes répétant dans un nouvel espace actuel les autres gestes que le modeleur lui-même, autrefois, poursuivit ; — quant il luttait, à coups de ciseaux volontaires, contre la pierre infidèle, qui n'a point su garder ses efforts ; — mais que seuls des efforts analogues, ressuscitent aujourd'hui. C'est ainsi que je retaille dans ce pur espace imaginaire — lui donnant du poids — la fortune flottante autour de la pierre usée. Le plus dur des deux n'est pas le grès infidèle.

24.

DE L'HOMME OU DU DIEU j'avais cru plus aisément mettre la main sur l'homme. Le problème se posait ainsi : le Père, honorable fonctionnaire bien connu voici deux mille ans, avait rempli des charges définies... Le Fils, conservant et prolongeant la mémoire du Père, avait si bien tenu ses charges que par reconnaissance ses administrés l'avaient fait « génie », esprit, officiellement. — Et, pratiquement, le cultivaient comme un dieu. L'un et l'autre étaient de la famille « Fong ». Le Fils, déifié sous l'appellation de Fong K'ouen, — le Père gardant son nom historique de Fong Houan.

(Or : nous avons trouvé, vivantes mais interlopes et douteuses, toutes les reliques du Fils-dieu sous forme de cultes perpétués, louches... Nous n'avons rien rencontré, pas même le pilier funéraire, du Père historique !)

Ainsi, voilà dans toute son histoire, la diversité des devenirs, de la légende et de l'histoire. — « Être fait dieu »... que cette bonaventure arrive à Tchouko Liang ou Tchang Fei, peu m'en chaut. Ce n'est qu'un geste légendaire à ajouter au catalogue de leurs tours de ruses. — Mais que j'aborde d'abord la vie très historique du Père, pour n'en rien trouver d'existant, — et du Fils, pour tout en trouver compromis dans les bouches actuelles, ceci est assez inquiétant.

Car on peut, sans sourire au moment où on le fait, se poser nettement ce doute : c'est de la gloire, — être fait dieu ! — ou bien la gloire n'est que ce qu'elle serait : un mot. Supposons ce mot. Ou posons toutes les actions, tous les désirs d'actions qui convergent vers ce mot, même fictif... On désire que l'on sache exactement ce qu'ils ont fait. Et c'est le programme et le projet de l'histoire.

Je suis pris étrangement dans cette roue tournante et miroitante : que l'on sache, véridiquement, ou bien que l'on répète et qu'on imagine. Qu'on déroule des bandelettes de momie, en comptant les tours, ou bien qu'on fabrique une « mumie » pétrie de salive et fermentée d'oraisons.

Ni l'un ni l'autre. Ce que j'ai fait n'est matière à catalogue. Et d'ailleurs, *c'est fait,* par définition même. Ce que le peuple inventerait autour de mes actes serait superflu, déplaisant.

Et puis, je serais tenu à des obligations, des services posthumes et prolongés. Ce que l'on raconte de Fong K'ouen est assez obsédant. Chaque année, au troisième mois, filant dans les eaux de la rivière, il rentre en esprit et âme, chez lui. Quand on suppose qu'il émerge, le peuple et les fonctionnaires le saluent... Et je serais tenu à des miracles. L'usage en est périmé. Le surnommé Fô, par les Chinois, et le Bouddha par les Hindous les déconseillait, il y a deux mille cinq cents ans déjà. — Quelques timides essais, — guérisons, résurrections de morts ou de soi-même, — ont été tentés voici 1914 années, ou paraissent se prolonger encore. — En Chine, on peut se borner à faire tomber la pluie, — à faire lever des plantes céréales, toutes semblables, pour nourrir un peuple pressé, tout semblable...

Ce n'est point là une peine digne d'être prise quand on en tient pour la diversité du monde.

Je renonce à être fait dieu.

25.

MOI-MÊME ET L'AUTRE nous sommes
rencontrés ici, au plus reculé du voyage. Ceci, au
pied des derniers contreforts des plateaux étalés
horriblement à six mille mètres de hauteur, plus
désertiques et plus âpres que les pics les plus déchirés
de l'autre Europe, ceci m'arrive, après cette étape, la
dernière de celles qui prolongeaient la route ; la plus
extrême, celle qui touche aux confins, celle que j'ai
fixée d'avance comme la frontière, le but géographique, le gain auquel j'ai conclu de m'en tenir. C'est
ici, dans la contrée frémissante d'eaux et de vents
dévalants, c'est ici, après cette journée plus fatigante
que toutes les autres — (cependant la fatigue était
non pas domptée, mais dépassée, dominée), sans
avoir pris de repos, l'affalement douloureux et l'envie
de pleurer de détresse, avaient fait place à une
inattendue lucidité, — sur la terrasse moins enfumée
que l'antre de cette maison tibétaine, dans un
crépuscule où le jour prolongé n'a plus semble-t-il de
liaison au soleil ; la lumière s'exhale des choses ; — et

j'étais debout, marchant malgré moi un peu plus loin qu'il ne m'était permis. C'est alors que l'Autre est venu à moi.

Nous nous sommes trouvés (doucement) face à face ; l'Autre, comme s'il me barrait silencieusement le chemin prolongé en dehors de moi, malgré moi. Je l'ai reconnu tout de suite ; plus jeune que moi, de quinze ans, il en portait seize ou vingt ; plus maigre *l'Autre* et plus blond, il s'habillait naïvement d'un vêtement européen d'un beige effacé par l'usure, le soleil, ou la mode d'autrefois, et qui d'ailleurs lui seyait bien. Il avait peut-être un peu d'aigre dans le maintien ; mais je trouvais une grande affection pour la jeunesse blonde qu'il ramenait de si loin et du profond du temps. Le moindre reflet noisette dans ses yeux était un rayon frémissant, jeune et jaune. Cependant l'étonnement de le rencontrer là m'est venu, tardif, avec ces paroles :

— Comment ! c'est toi qui existes encore ! toi ici !

— Tu ne fais pas partie du paysage. Ton veston détonne, et tes souliers et ta figure blanche sans hâle. Tu n'as pas froid ? Tu n'as pas l'air habitué aux hautes altitudes...

Il se présentait, oblique, sans me regarder ni peut-être me voir. Je questionnais sans attendre de réponse. Une réponse qui m'aurait bien plus étonné que son silence. Et en effet, il ne répondit pas.

Je lui en sais gré. Je devrais alors transcrire un dialogue assez invraisemblable, quand mon monologue ruminant et ratiocinant reste logique et justifié. Cependant j'observais une singulière transparence dans sa personne. Le paysage éteint presque par la nuit, le formidable déboulis de roches et de torrents, et les falaises torturées dans l'ombre par des filons qui les étreignaient comme des nœuds, la sève dans le tronc, se montraient à travers lui, l'absorbaient. L'Autre devenait fumée, avant de m'avoir répondu. Cependant, avant qu'il ne disparaisse en entier, j'avais eu le temps non mesurable, mieux : j'avais eu le *moment* d'en recueillir toute la présence, et surtout de le reconnaître : l'Autre était moi, de seize à vingt ans. — Un pan sinueux et fantôme de ma jeunesse à moi, casanière et éberluée, un pan de ce voile de ma vie, flottait donc ici, dans les vapeurs roulantes du torrent, suspendu dans ces gorges plus hautes qu'une trouée de dix Rhônes... dans cet endroit, le plus reculé du monde pour moi, puisqu'il marquait le coude et le retour du voyage ; ce regain de jeunesse, ce regard recueilli, et le geste adolescent du visage, et l'inespérable charme de tous les espoirs devinés à cette heure et que la dure réalisation étouffe un à un en choisissant quelques-uns d'entre eux qu'elle grossit et démesure jusqu'à l'outrance, — voilà donc ce que j'étais venu trouver jusqu'ici.

Maintenant, l'Autre a totalement disparu ; jusqu'à la nuit complète, et qui ne laisse aucun espoir subsister dans les yeux. Je me souviendrai, certes, de ce que j'ai revécu dans les siens. Souvenir, comme lui-même. Une autre étape. Un autre jalon. Si l'on redit à un enfant quelque trait de sa première enfance, il le retient et s'en servira plus tard pour se souvenir, réciter à son tour, et prolonger, par répétition, la durée factice. Ici, j'ai quelque instant d'emprise directe, hors du passé périmé ; quelque chose est revenu. — Pourquoi de si loin, et surtout, pourquoi si loin ? En dehors de tout ce qui pouvait évoquer l'Autre, ma jeunesse ? En dehors de tout décor familier ; car ces monts bouleversés, et ces crêtes verticales dans le ciel dépassaient même mes espoirs naïfs de voyage... Peut-être que les espoirs et les rêves de l'Autre dépassaient eux-mêmes ce voyage, et que, mort d'années, et rêvant, il se trouvait ici, comme en jouant, alors que j'ai dû y parvenir à grand-peine de mes os ossifiés et de mon expérience même de la route ? — Il avait l'air d'être là, comme chez lui, plus à son aise que moi, nullement gêné par la haute montagne, ni par le glacé du soir sur ces hauteurs, dès la tombée du soleil, ni inquiet de l'étape du lendemain... Lui, ne m'a pas interrogé seulement sur ce que je venais faire. M'a-t-il vu ? Je n'en sais rien. Il a semblé me négliger. Il n'a pas su même que je prenais possession effective, le premier homme, d'un lieu du monde qu'il aurait à peine soupçonné... — Il n'a point paru me féliciter d'y être parvenu, au prix du sang, en chair et en muscles..., puisque voici maintenant qu'il s'y promène, un peu indécis — et c'est son charme — prêt à tout, prêt à d'autres lieux, prêt à habiter d'autres possibles... Riche de tout ce qu'il espère, et négligent de ce qu'il a, — car il n'a rien encore.

Je ne suis pas venu ici pour me trouver nez à nez avec un naïf souvenir de jeunesse... et c'est pourtant lui qui se place au tournant et au confin ! C'est une leçon... C'est lui maintenant, c'est l'Autre qui me donne une leçon d'expérience ! Sans doute son air détaché et désintéressé m'apprend la vanité de ce que je suis venu rejoindre ici. Si j'avais un peu de foi pour le petit dieu de voyage, — qui ne m'a pas quitté, — je lui soumettrais ce cas étonnant de conscience, ce problème de topographie dans l'espace et dans le temps du passé... Mais je sais par avance qu'il ne fera rien que de rire un peu plus dans son cristal doré, et que c'est justement là sa science. Je ne lui demanderai rien de plus. Simplement, étant allé jusqu'au bout de ma course, — je reviendrai.

Mon visage a changé de direction en revoyant l'autre visage. Je suis orienté sur le retour.

26.

PEINT SUR LA SOIE MOBILE DU
RETOUR, tout ce qui suit du voyage m'apparaît
désormais tout déroulé d'avance. C'est d'avance un
paysage familier, comme la ville fictive de tous les
soirs que le grand Empereur capricieux et casanier,
aimant à la fois ses habitudes et de voyager, faisait
déployer à chaque étape, en l'horizon de son camp. Il
y voyait là les formes des palais, les monts et les
eaux, les nuages domestiques de son ciel et de sa ville
capitale. Il dormait bien. Je puis aussi dormir à mon
aise désormais ; un peu trop : car tout ce que je verrai
durant ce retour nécessaire est déjà peint et observé.
— Je sais d'avance ce que la montagne me prépare.
Aucune passe ne me donnera plus la joie tremblante
et haletante du regard par-dessus le col.

J'y atteindrai trop posément pour être ému. Et
d'ailleurs, l'autre horizon n'est qu'un vallonnement
de plus. Aucun fleuve n'imaginera de tournoiements
d'une gymnastique neuve. Ce sera de l'eau courante
et voilà tout. Aucun porteur n'aura dans son coup de

rein, la révélation d'une démarche inattendue... il faudrait pour cela des êtres moins bipèdes, et d'un mécanisme ailé pour atteindre à quelque neuf. — La femme du pays où je vais est atteinte et captée avant d'être choisie et poursuivie. J'en connais d'avance le prix, l'éducation, la science et l'intérêt. — Mes sandales n'auront jamais de nouvelles formes que celles-ci, les meilleures, définitives et que je ne puis pas modifier, esclave de mes pieds à cinq orteils, une sole et un talon. — La ville imaginaire a perdu ses couleurs, et toute invention, je la laisse désormais au plaisir de voir naïvement neuf, sans y croire. — J'ai dit, une bonne fois, les révélations étonnantes de la formalisation des contours. Je crois à l'infinie diversité de ce plaisir encor, — mais le pays où je vais ne renferme plus de formes informes autrefois formulées par des hommes. — Je ne puis me flatter de voir venir et m'apparaître l'Autre à tous les carrefours et sentiers. La première rencontre fut étonnante assez. D'autres seraient insupportables en détruisant le mystérieux adolescent de la première, en faisant de ce fantôme rare une habitude, un besoin, un camarade de la vie !

Et pourtant ce retour est le plus heureux possible, puisque le Voyage et l'expérience se sont poursuivis ainsi jusqu'aux confins, sans rappel déconcerté ; puisqu'il n'y a pas eu de déconvenue précoce ; — et surtout que je n'use pas pour revenir de la même route qu'à l'aller ; je ne mets pas mes pieds dans les mêmes trous.

Ceci serait l'extrême du déplorable et du dégoût.

Revenir sur des pas déjà faits, remâcher une nourriture digérée, renâcler son premier mugissement est toute l'image de la défection déconcertée... Certes, il est arrivé au cours de cette route d'avoir, pour quelques jours, l'obligation topographique ou stratégique de s'en revenir en arrière... Mais ce geste est plus grave et plus pesant qu'on ne pouvait l'imaginer. — Revoir par force, et à l'envers, les paysages et les vallonnements et les crêtes que l'on croyait avoir une bonne fois dépassés, est abominable. Reprendre par-derrière, l'ascension, la montée qu'on avait abordée avec la rude franchise de la première expérience, — suer et peiner en montant là où se dévalait la pente, et descendre ironiquement en glissant cette escalade obtenue par tant de beaux efforts ; cela est insupportable et honteux.

Et cependant, bien que de telles expériences soient rares ; bien que le retour néglige et fuie la plupart des routes anciennes et qu'il feigne de s'avancer vers un autre imprévu et d'autres tentatives, — le retour est frappé de stérilité et d'ignorances. Quoi qu'il fasse, il ne saura faire autre chose que dérouler la peinture comme sur la soie. Et s'il se dérobe, et s'il tente d'improviser, la lassitude désabusée sera telle que son invention ne sera pas goûtée à sa valeur, et que tout incident, toute aventure, s'enrobera de la saveur répugnante du déjà-vu.

27.

L'AMI TROP FIDÈLE est celui-là qui au retour, au départ, est encore debout sur la même place, dans le même visage et des yeux que je cherchais de loin, et craignant de ne pas reconnaître, — et que j'ai reconnu sans ambages tout aussitôt. — Il m'a crié : « Tiens, tu n'as pas changé... » ; et comme je le regardais avec l'œil lourd du voyage mécanique et rouge du poussier de charbon, il a cru à de l'étonnement ou de la crainte, et a ajouté rassurant : « Je n'ai pas changé non plus ! »

C'est bien là ce que je craignais ! Je m'explique maintenant cette prémonition douloureuse, cette angoisse constante du retour mené jusqu'à sa fin, et dont je redoutais toujours l'explosion... Que faudra-t-il dire à l'arrivée ? Faudra-t-il cacher mon étonnement ou mon dépit ! — Le visage vu de loin est pour quelques secondes à peine entrevu comme un objet d'expertise, de claire vue, de lucidité..., le moment du retrouver est ambigu et aigu. Ce visage, autrefois familier, est ici aperçu avec toute la nervosité neuve et tendue par tant de choses acceptées... Pendant l'éclat du premier coup d'œil, avant que les paupières n'aient cligné, je vois franchement ce que je ne savais plus depuis longtemps regarder sans habitude, sans amitié. Cette fois, l'imaginaire se faisait douteux... et me menait bel et bien vers le réel de ce moment prévu. La déception. L'escompté.

Ainsi, il n'a pas changé, lui... Ainsi, onze ou douze mois, trois cents et quelques jours, des heures, et plus que tout cela, deux ou trois moments impérissables ont passé peut-être sur lui, sans le toucher davantage ? sans le marquer ? sans descendre assez au fond de sa vie pour que sa dépouille vivante n'accuse point le déformé ou la révélation ! — Ainsi, mes lettres qui lui venaient de si loin, pleines d'espace et de terrain conquis, et mes recherches, et les desseins avortés, les désirs aussi dont il prenait sa part, en me répondant mot pour mot, — ceci n'a donc pas persisté, et a passé sur lui sans l'émouvoir ? Qu'a-t-il fait ? Je sais, d'autre part, que le sort ne l'a pas épargné. Il a vu tomber de haut ce qu'il croyait tenir et posséder. Il a vu s'évaporer des réalités provisoires et personnelles. Tout ceci qui s'est abattu sur lui est donc vain ?

Il n'a pas changé ? Il ment. Cet œil gras, ce menton et cette voix... Maigre et défait du voyage, je suis étonné par son poids. C'est moi qui devant lui demeure timide. Je réponds en écho bien appris :

— Oui, tu es toujours le même.

Il m'accepte alors, et m'emmène, satisfait.

28.

POUR CONCLURE... car il faut oser conclure. Ce voyage, imaginaire d'abord, est devenu un fait, avec son départ et l'hypothèse mouvante. Il a marché. Il s'est déroulé ; comme un fait, il est arrivé. Il y a là quelque chose de *parfait,* d'achevé, indépendant de tout, indépendant comme l'aiguille sur le cadran, tournant exactement son heure sans s'inquiéter des actes dont l'homme la remplit. Le voyage a donc marché de son pas implacable. Il faut reconnaître que là, le réel s'est laissé bien entourer. J'ai eu raison contre les doutes, les tâtonnements, les ignorances. Parti de ce point, je suis arrivé à celui-là, et de retour, dans cette immobilité acquise, je puis maintenant expertiser ce que j'ai vu et chercher un sens à l'aventure. J'ai au moins appris sur la route à donner quelque importance à l'auberge acquise. La conclusion n'est plus un jeu imaginaire, mais l'image du succès.

Jouis de l'effort, comme tel, mais fouette-le jusqu'au moment où il passe l'obstacle et t'apporte au domicile choisi. Ce voyage aura donc nécessairement un retour, un objet, une parole définitive. —

Le premier point à résoudre se pose de lui-même ainsi et se résout : ce voyage a été heureux, puisqu'il fut, qu'il partit et qu'il parvint. Mais moi-même, ai-je été heureux en ce voyage ? Quelle est ma part de bonheur due au voyage ? Même, suis-je heureux ?

Que cette question puisse même se formuler, et l'on dira qu'il faut d'emblée répondre non... Le bonheur impérieux, le seul dont la conquête est digne, la volupté de l'heure et de l'objet, ne laissent ni le répit ni le goût de se poser telle interrogation. L'heure du retour n'est donc pas voluptueuse au point de se suffire et de se combler. Est-elle, encore une fois, heureuse ? Pour répondre, je dois me fixer et avouer mon attitude en face du bonheur.

Elle n'est pas franche. Je ne sais boire et jouir sans goûter. Je ne sais pas voir sans regarder un peu trop, ni entendre sans écouter, ni sentir sans me reculer pour mieux sentir. Et depuis longtemps j'ai coutume de qualifier l'événement non pas en raison de sa vertu, de sa couleur actuelle et spontanée, mais en rapport de ce que je l'imaginais ou non. Toute acquisition neuve est heureuse ; tout enrichissement prévu a rarement le don de dépasser ce que j'avais décidé qu'il serait. Or, ceci, qui me dispense de juger ce voyage d'un mot, ou qui rendrait suspect un jugement unique sur ce voyage, est précisément le mode d'expertise le seul utilisable ici puisque la même interrogation, en somme, la même question fut le départ et la raison de ce voyage, et que la même recherche — posée dès les premières lignes sous une expression équivalente — fait indiscontinûment la vraie trame de ceci ; mêlée à toutes les étapes, et toujours à tous les mots dont parfois le chancelant s'explique.

Pour répondre, je ne saurai donc mieux faire que, sans revenir en arrière, me reporter à chaque instant de ce livre, et voir, pour chaque ligne si la dose de beauté, de valeur, que me rendit le réel, surpassa ou non la promesse imaginaire, ce qui est mêlé à tous les mots. J'aurais ainsi une ligne sinueuse, brisée, cassée, arabesque cisaillée d'à-coups, parfois noble comme une parabole, parfois enfuie vers les irrationnels, mais qui, en comparant ponctuellement l'écart entre l'attendu, le désiré et le trouvé, le rendu, — pourra me fixer avec une ironique et impassible précision. — De même qu'un voyage se compose de pas, de même la somme du bonheur incluse ici est possible à connaître si je la fragmente à l'extrême.

Impossible, en revanche, à exprimer d'un seul mot, oui ou non, grande ou petite. Je renonce gaiement à savoir si je fus heureux ou non, même si je suis heureux... Car déjà, de cette opposition constante entre les deux mondes s'est tirée une autre leçon. Un autre gain ; une acquisition impérissable : un acquêt de plaisir du Divers que nulle table des valeurs dites humaines ne pourrait amoindrir.

C'est qu'en effet, partout où le contact ou le choc s'est produit, avant toute expertise des valeurs en présence, s'est manifestée la valeur du divers. Avant de songer aux résultats, j'ai senti le choc ainsi qu'une beauté immédiate, inattaquable à ceux qui la connaissent. Dans ces centaines de rencontres quotidiennes entre l'Imaginaire et le Réel, j'ai été moins retentissant à l'un d'entre eux, qu'attentif à leur opposition. — J'avais à me prononcer entre le marteau et la cloche. J'avoue, maintenant, avoir surtout recueilli le son. Parmi le désabusé, le déconcerté, ou au contraire l'émerveillé de chacun de ces mots ou de ces chapitres, je notais, en dégustant silencieusement la musique, ironique et intime, que faisaient les deux mondes délibérément opposés. Je puis l'avouer maintenant : je n'ai pas été dupe ; ni du voyage, ni de moi. — Sans doute, ce livre gardera son titre équivoque, ou plutôt son parti pris d'*Equipée,* malgré l'aveu d'avoir surpris ou obtenu le Réel dans une valeur parfois équipotentielle. Qu'il n'ait pas été absorbé ; qu'il ait tenu bon ; qu'il n'ait pas été victorieux non plus..., ce qui pourrait faire croire que l'on avoue avoir compromis ou fourvoyé l'Imaginaire dans les sentiers du Réel. C'est qu'il n'est pas possible de le nier. Cependant, au-delà de tout — au-delà du bonheur ou du satisfait, — au-delà de la justice et de l'ordre... demeure la certitude que voici : la justification d'une loi posée de l'exotisme — de ce qui est autre — comme d'une esthétique du divers.

Mais il faut s'entendre : le Divers dont il s'agit ici est fondamental. L'exotisme n'est pas celui que le mot a déjà tant de fois prostitué. L'exotisme est tout ce qui est Autre. Jouir de lui est apprendre à déguster le Divers.

131

Enfin, ayant, comme il faut, apprécié le choc, je me demande, et ceci est la dernière question péremptoire, si, du choc n'a pas jailli quelque étincelle... Peut-être celle-ci.

Je me garde d'une confusion sur les mots. Le Réel n'a rien voulu dire ici que ce qui s'oppose au jeu pur de la pensée ; ce qu'on touche, ce qu'on voit et flaire, ce qu'on mesure, ce qu'on sent. Le débat a lieu entre ces deux exclusives données...

Mais, entre elles, plus vastes qu'elles, plus larges qu'elles, existe sans doute une chose. Celle-là, non touchée par l'expérience, celle-là, indicible, échappant à toute emprise, et unissant ces contradictoires dont tout ceci n'est qu'épisodes de combats. Je ne puis songer à le définir. Sitôt défini, un scrupule, je sais bien, me prendrait : si l'Etre était autre que je viens de le dire... ; et de nouveau, la loi d'un exotisme universel et victorieux m'arrêterait... — Je crois donc que ceci d'entrevu, comme une vision rapide à la lueur du choc, n'est pas dicible par des mots ; mais sous un symbole par exemple figuré de la sorte. — Puisque le débat s'est mené et prolongé jusqu'en Chine, c'est à la Chine que j'emprunterai le sceau formel et l'arrêt du débat ; — c'est la plus chinoise des dynasties, la grande ère des Han, qui le fournira sous ces traits :

Deux bêtes opposées, museau à museau, mais se disputant une pièce de monnaie d'un règne illisible. La bête de gauche est un dragon frémissant, non pas contourné en spires chinoises décadentes, mais vibrant dans ses ailes courtes et toutes ses écailles

132

jusqu'aux griffes : c'est l'Imaginaire dans son style discret. — La bête de droite est un long titre souple et cambré, musclé et tendu, bien membré dans sa sexualité puissante : le Réel, toujours sûr de lui.

Ceci est exact autant qu'un symbole peut l'être. Un symbole emprunté comme il convient à la Chine antique, — pays où se déroulait l'expérience et le débat. — Quoi de plus juste ? — Ce symbole n'a peut-être rien de commun avec ce qu'il prétendait signifier. C'est le sort de bien des symboles...

Maintenant, chacun peut choisir et retomber dans sa bête familière, soit le monstre, soit le quadrupède sexué. L'homme est absent de ceci, et toute la sentimentalité humaine. Le dieu ? négligé depuis longtemps. Reste l'objet que les deux bêtes se disputent. —

C'est un cercle... qu'encastre un carré. Quadrature ? Un anneau, un serpent symbolique, un symbole géométrique, le Retour éternel ? L'équivalence de tout, l'Impossible, l'Absolu ? Tout est permis... Je crois plutôt à la figuration d'une simple monnaie, la sapèque chinoise, ronde, percée d'un trou carré... Mais ceci est l'interprétation historique grossière... L'objet que ces deux bêtes se disputent, — l'être en un mot — reste fièrement inconnu.

MARGINALES ET VARIANTES
DU MANUSCRIT D' « ÉQUIPÉE »

Les « Variantes et Marginales » du manuscrit d'*Equipée* ont été réunies ici sans distinction d'intérêt. Certaines phrases inachevées, certaines notes hâtives ne méritaient sans doute pas d'être relevées, mais comment en décider ? Il arrive qu'une note peu intéressante pour un lecteur soit importante pour un autre sans qu'on puisse à l'avance le savoir. Nous n'avons donc fait aucun choix pour l'ensemble de ces notes, à l'exception de l'une d'entre elles qui occupe la toute première page du manuscrit d'*Equipée*. Victor Segalen avait copié là, sept mois après avoir écrit le dernier mot du livre, un passage de son journal personnel (détruit par la suite). Il lui donnait ainsi une valeur particulière. Nous pensons avoir respecté son intention en publiant ci-après le fac-similé de cette page.

Page 5. *Addition à la page de titre du manuscrit :*
Manuscrit commencé à bord du « Paul-Lecat », — Saïgon, Singapoore — le 9 septembre 1914. Terminé à Brest le 6 février 1915.

Page 6. *Page suivant la page de titre du manuscrit :*
Justification du tirage.
En bas de la même page :
Les deux bêtes opposées. « Deux bêtes opposées disputant l'Objet ».

Addenda.

LE DANGER AU PAYS DU RÉEL — L'imaginaire habite le cerveau et s'écrase avec lui.

Aden 5 Mai 1909. « Aden a dressé devant moi un spectre douloureux & d'augure équivoque : Arthur Rimbaud. C'est là qu'il vécut & souffrit des angoisses inconnues au peuple. Il s'est levé dans Aden enrichi, barrant la route, disant : vois mes peines, vois mes espoirs infiniment déçus ; vois mes efforts étonnamment vains, vois ma fin lamentable : dans ces cavernes sèches où dorme un air creux, retrouve un peu des échos de mes plaintes. « Heureusement que cette vie est la seule & qu'il ne y en a pas d'autre, puisqu'on ne peut imaginer de vie plus lamentable ... » Il faut, quoi qu'on en ait ? Je passe. Je réponds : « Tu as lutté pour le Réel : Tu l'as pris corps à corps. Homme vaincu ! Tu avais dépouillé d'abord ta plus splendide des armures . Poète, tu te reniais toi-même ! Et tu te flattais d'avoir des muscles et des os. Le poète que tu méprisais te conduisait encore, & par vengeance celui tu le méconnus, à ta perte . » Voilà le Mythe Rimbaud
(Recopié de mon Journal, à Brest. 1ᵉ Sept. 15.)

Le Poète-Conquistador Ercilla, premier explorateur de la Patagonie, chanta ses exploits dans « une œuvre plus sauvage que les Nations qui en faisaient le sujet ». Bénès - Guco p 57

Essai : Voyageurs & Visionnaires
        Ceux qui ont écrit ce qu'ils ont vu.
        Les poètes en voyage .
        Les Voyageurs aux prises avec les mots.

136

Page 11. *Note en tête de chapitre :*

« L'homme d'action n'est qu'un terrassier ; le moindre conteur
remue plus de vie qu'un conquérant. » Remy de Gourmont. *Les
Chevaux de Diomède*, p. 19. [Quelle erreur ! Le conteur remue des
Mots ; ne confondons pas.] *Phrase inachevée après « ... au long des
jours catalogués. »*
Qu'il fut important d'avoir fait... et, le dire, insistance de mauvais
goût...

Page 28. *Note au crayon en tête de chapitre :*

A renforcer, surélever, étoffer — donner à ce chapitre le plein d'une
pièce de résistance.

Page 30. *Note au crayon en bas de page se rapportant à la phrase :*
« *... qu'il faut atteindre 3003. »*

Ceci n'est pas assez exploration ?...

Page 31. *Note au crayon en fin de chapitre :*

Allonger. Prolonger. Etoffer. Etouffer.

Page 32. *Note en tête de chapitre :*

Ajouter peut-être comme incomparable moment exemplaire : Le
Regard sur la plaine de Han-tchong fou. *Feuilles de Route,* p. 137.

Page 35. *Variante en fin de chapitre :*

Variante :
Ceci est donc l'image physique de la *Joie.* Mais peut-on affirmer
ainsi obtenir la joie ? en montant la montagne, en parvenant ainsi à
la passe ? en jetant ce premier regard par-dessus le col ?...
Non. La montée vers l'autre monde n'est pas obtenue par recette ou
procédé. Et ce n'est pas à la légère que l'on tend vers le moment
illuminé, le *Moment « Vert »*... C'est au point où on croit le tenir
qu'il se cache et se défait...
Une fois, il est arrivé ceci à quelqu'un de monter dans le bel
automne chinois, l'automne doux, plus éternel qu'un printemps
poétique, dans l'automne de la Chine du Nord, qui ménage toutes
les rousseurs dans les feuilles et toute la couleur du ciel, et de croire
en tendant à la passe de la route que ce qui s'apprêtait sur *l'autre*
versant était plus doucement prometteur, et peut-être, changeant

de régime de pluie et de vent, on allait retrouver à l'envers la saison abandonnée, l'Eté...

Car le changement par-dessus la passe est souvent plus décisif et plus complet que le passage d'une saison à l'autre... —

Et c'est ainsi que l'on montait dans l'étendue matinale, persuadé de trouver un automne plus chaud, un air plus oxydant et acide, une ivresse plus grande encore que celle que l'on tenait...

Cependant, de petits flocons passaient aussi la passe, au rebours de mon chemin. Fumées d'un village ou d'un temple au génie qui chevauche les deux versants ?

Et l'on arrive jusqu'aux flocons, jusqu'au regard par-dessus le col... La vue tombe dans un brouillard, dans le gris... et c'est bien là où il faudra se plonger. Toute la déconvenue, si grande que l'on hésite... et qu'on voudrait bien revenir en arrière. Mais tout d'un coup, changeant en soi-même de soleil et de monde, on s'en prend à la magique lampe intérieure ; on s'embrase au dedans, si replié tout en dedans. Le fait extérieur repousse. Même alors, il ne faut pas revenir en arrière. Même au prix d'une marche obscure qui s'éclaire par le dedans. Même à travers toutes les ténèbres humides. Même à travers des hivers plus durs que celui-là.

En marge des deux dernières phrases de la variante qui précède : note au crayon :
Peintures.

Page 36. *Note en tête de chapitre :*

« Le torrent est un million de jeunes filles juponnées de blanc, robées de vert d'eau crémeux pâle, autour des noirs curés erratiques. » *Feuilles de Route*, p. 434.

Copie du passage des Feuilles de Route, p. 434 :
Grès. Certains mots géologiques sont possibles dans la diction verbale d'un pays. Mais le torrent est un million de jeunes filles juponnées de blanc, robées de vert d'eau crémeux pâle, autour des curés noirs erratiques.

Feuillet indépendant placé à cette page par Victor Segalen et sur lequel il avait copié ce passage de la Cantate à trois voix *de Paul Claudel :*
Il faut bien des montagnes pour un seul Rhône !
Il n'y a qu'un seul Rhône et cent Vierges pour lui dans les altitudes !
Il n'y a qu'un seul Rhône et pour ce taureau unique
Mille lieues de montagnes, cent Vierges, vingt Cornes farouches,
Vingt Colosses dans l'air irrespiré chargés d'une pesante armure,
vingt cimes recueillant les souffles des quatre coins du monde,

Vingt Visages recueillant la bénédiction des Cieux illimités et la déversant de tous côtés vers la terre en un flot torrentiel et solide, En un pan de verre, en une seule masse d'or, en une cataracte immatérielle, en une Chute..., etc.
voir tout le passage. *Cantate,* p. 24.

Page 40. *Note au crayon en marge de la phrase :* « *C'est ainsi que le beau et poétique sentiment d'Orgueil...* »

[donc élément humain acceptable. Revoir. Non-contradiction avec celle qui précède.]

Page 48. *Note au crayon en haut de page :*

Bien opposer les notions abstraites et l'instinct. — L'instinct a vaincu.

Page 50. *Variante du début du chapitre :*

Pour devise j'ai cherché longtemps avant le départ les mots expressifs ou les symboles de ce double voyage. Je ne pouvais pas négliger la Science chinoise des Sceaux et des Cachets, des Fleurons et des Caractères Sigillaires... la Science chinoise des cachets, des Pensées péremptoires, des Idées pétrifiées de main de maître, cette Héraldique hermétique des sceaux. Le caractère demeure le fonds inépuisable d'invention traditionnelle. J'ai donc cherché, tout en innovant dans la pensée et dans le désir inclus, à respecter la tradition dans la forme... La forme et le décor interviennent si puissamment ici que je devais compter tout d'abord avec le symbolisme de la forme. Ou, pour le reste, couler une idée, un concept dans un symbole péremptoire. Ce symbole ne pouvait être que double : les symboles doubles abondent : deux bêtes affrontées, le Phénix irréel, Impératrice surnaturelle au Palais changeant ; — et de l'autre, un gros tigre bonasse à quatre pieds (le Réel m'a toujours paru quadrupède). Ou bien l'enroulement des virgules du Tao, l'une blanche, l'autre noire, égales et équivalentes, sans que l'une l'emporte jamais sur l'autre.

Page 53. *Note en tête de chapitre :*

Indiquer peut-être dès ici cette progression :
— Moi, parti pour le Réel, j'y suis pris tout d'un coup et ne sens plus que lui. Peu à peu, très délicatement, les battements éclosent d'un arrière imaginaire. Puis jeu alterné : souvenir et nostalgie ambiguë de l'Imaginaire et du Réel.

Page 55. *Note en fin de chapitre :*

Et même si au retour je dois tout casser à coups de pied et de cravache dans ma chambre immobile ? — Eh bien ! je casserai tout !
Suite au crayon :
C'est peut-être ici qu'il faudrait introduire le souvenir de ma chambre aux porcelaines que je décrirais rapidement, vue de loin, vue d'ici, et qui m'apparaîtra singulièrement close et le but du revenir.

Page 59. *Variante de la phrase : « Suspendre ses sandales n'est point un geste que l'on fasse ici » :*

Suspendre ses sandales est un geste rituel ; les chausser, une affaire d'habitude ; ne pas s'en blesser, une autre affaire, d'endurance.

Page 61. *En variante du premier paragraphe du chapitre, copie d'un passage des* Feuilles de Route :

« Le Bain dans le gros torrent. Dans l'eau courante, fuyante, furieuse. Quand on a trouvé son assiette, on est étourdi, frotté, décapé, attaqué sur toutes les coutures. Les gros rochers moussus sont glissants à l'extrême. L'eau vous heurte durement. Lutte constante. Fatigue comme une douche. Quand on en sort : immobilité chaude de serre, dans l'air sans vent. »

Page 63. *Note au crayon après la dernière phrase du chapitre :*

[Différant en ceci d'autres baisers si intenses, si agrippants, que, sortant dans les rues, ils deviennent visibles.]

Page 64. *Variante de la première phrase du chapitre.*

LA VILLE IMAGINÉE, la seule ville rencontrée...

Page 66. *Dernière phrase (non publiée parce qu'incomplète) du paragraphe se terminant par : « ...la laque de Tch'eng-tou, et non d'ailleurs... »*
qui fond de chaque côté du long couloir de ces rues somptueuses, et les vendeurs, nombreux, affairés ou oisifs, gras et lents, regardant passer les passants.

Page 67. *Chapitre incomplet. Note en fin de chapitre :*

Corser ma description et bien noter que, point par point, Tch'eng-tou a rendu plus que l'idée n'en promettait.

Suite du chapitre non terminée et rayée par Victor Segalen :
Enfin, quand la nuit tombe, que les ors de la lumière diurne s'apaisent dans un gris tiède, quand la nuit vient et approfondit le sombre des laques, quand les lanternes s'allument, un monde tout à coup change et paraît ici. Non pas le monde précis...

Nouvelle note :

Rythme :

Corser la description. Tch'eng-tou a rendu plus que l'idée n'en promettait. Stupéfaction du Constat...

Mais l'Imaginaire reprend ses droits, et devant le triomphe du Réel, imagine l'Arrière Monde dans la nuit. (Voir *Briques et Tuiles*). Kiating. *Non.* Ceci est du Loti. — Retour au Réel, puisqu'il plaît.

Passage de Briques et Tuiles *indiqué ci-dessus par Victor Segalen :*

... La file des lanternes, la plongée des toits, l'alignement des dalles, cela joue, s'allonge, se courbe ou s'enfuit selon le hasard des pas. Mais cela va donc, où ? Qu'importe que les passants concrets me bousculent en hurlant, que les policemen timides me regardent en se demandant quoi faire... que toute cette vie que je connais et vis s'agite sans mystère autour de moi... Oui, qu'importe, si *cela,* que je suis des yeux, me mène quelque part, ailleurs que très loin, ailleurs que jamais, ailleurs qu'on ne peut aller, enfin, avec des mules, des jonques ou des pas...

Ailleurs. Dans cette Chine imaginaire que j'ai d'abord façonnée d'échos, de lueurs, de relents, de désirs, d'effrois et d'attirances ; — dans ce pays non pas très différent d'un autre Japon irréel ; où les hommes parlent incompréhensiblement pour notre âge, s'agitent on ne sait pourquoi, et meurent ou se font mourir comme nous en des jeux inconnus. Dans cette Chine qui tient toute, je le sais bien, en certains regards élus qui la virent, et qui savent en redonner un reflet tout frissonnant. Dans cette Chine de quelques vers, de quelques musiques, parée de tant de durée, de tant d'équivoque, de tant de préciosité sauvage et de fragilité... Mais ceci, combien Lotiforme ! — Non, je ne suivrai pas le chemin rouge des lanternes... En arrière. Me voici revenu sur *mes* pas.

20 décembre 1909.

Page 68. *En tête de chapitre, autre titre à ce chapitre :*

ESCALE GRISE — Fleuve déposant ses troubles.

Page 69. *Note en marge du paragraphe qui se termine par : « Le fleuve est mort, s'étant vomi dans la vaste saumure. »*

Mauvaise comparaison. La mer est bien le but, le bout. — L'Escale n'est pas le but.

Page 69. *Note au crayon en bas de page :*

Reprendre ceci en supprimant « Fleuve déposant ses troubles » — Montrer l'Escale grise comme un *Trou* entre le Réel et l'Imaginaire, l'*un* et l'*autre* provisoirement suspendus... (Brest, 9 novembre 1916.)

Page 70. *Deux notes en marge et au crayon. L'une est illisible (prise dans la reliure du manuscrit). L'autre est une variante de la phrase : « Le mot seul de martyr... »*

Le mot seul de martyr sonne si purement et si rouge au-dessus des couleurs grises. L'évasion justifiée, l'apogée atteinte de droit, d'un seul coup ; la palme balancée ; l'assomption d'azur au-dessus des hurlements du cirque. Sous la Rome il y a peut-être des nudités blanches, des fièvres de chair d'un précieux exotisme virginal pour les bouches impures, obscènes ; et si blanches... Ceci, pour les foules antiques...

Page 72. *Note au crayon en bas de page se rapportant à la phrase : « ... la tache verte sur le ventre, — l'embaument. »*

On verse des torrents de larmes ou on éclate en hymnes d'allégresse. Les Païens interdits laissaient faire, et parfois se convertissaient en délire... et tout se *transfigurait* ainsi — subissait la superbe Transfiguration.

Page 73. *Note au crayon en marge de la phrase : « Sans suaire, sauf un mauvais drap... »*

de grosses mouches vertes parmi lesquelles le missionnaire agité bourdonne de son mieux.

Page 75. *Variante du paragraphe qui commence par : « Et l'on peut découvrir la face. Non plus la face ; il n'y en a plus ; »* mais le masque noir, rétréci, plissé, troué d'orbites en puits plus noirs, et de fosses, mâchoire luxée en avant, débridée, tirée de travers en se mordant les débris du nez.

Page 75. *Note au crayon en marge de la phrase : « Ayant vu ce trou, et reconnu que la barbe jaune... »*

Un mort vide, un mort pourri tout simplement. C'est bien ainsi que le comprend l'Evêque, car il insiste sur l'odeur... Les aspersions recommencent, désinfectantes.

Page 85. *Note en tête de chapitre :*

Reprendre : « C'est en elle qu'éclate au contraire la plus douloureuse opposition entre les mots et ce qu'il pense, entre les mots pour la peindre et ce qu'elle est. »

Page 90. *Phrase inachevée après : « Beaucoup de ces turquoises sont vivantes. »*

Et ceci donne à leur aspect un arrière...

Page 92. *Chapitre repris dans les* Feuilles de Route. *Seules ces premières lignes figurent dans le manuscrit d'*Equipée : CEUX QUI « VIVENT » SUR LES HAUTS PLATEAUX...

La récitation rythmique dans l'escalade :
« Que, sol des cent iris, son site... »
Voir *Feuilles de Route,* p. 483-484.

Page 96. *Variante du passage qui commence par « Alors, faut-il descendre avec aises »*

ou grimper en s'accrochant aux arêtes ? Faut-il glisser confortablement sur la grand-voie devinée, ou s'élever en déchirant les paumes,— parce que l'on croit avoir ici reconnu un chemin possible ou antique ? Descendre est déchoir, et si commodément vers le village que les gens affirment être en bas. — Cependant le sentier grimpant existe... ou existait... Alors que la route descendante est à peine un passage de marchands de sel ; l'autre qui serpente, s'enfuit et se terre, est une antique route impériale aux vertèbres plates, dalles de grès. Celle-là, affirme-t-on, ne mène nulle part. Il n'y a rien là où elle va. Les boussoles, les mires et les voyants ne sont ici d'aucun secours. — Il faut s'en remettre à soi seul. Pendant que mes gens dévalent le sentier marchand, je suivrai la route vers l'impossible, la route impériale, la route aux chemins du passé. J'ai d'ailleurs raison d'avance. Car l'Espace devant, — en aval, la plongée dans le blanc est confus. Ce qu'en peuvent dire les gens d'amont se détruit dans les contradictoires. Le village en bas dans la plongée est un village marchand. La route est double. L'Etable est meilleure en bas.

Page 105. *Note intercalée entre la phrase : « Je n'imaginais rien de semblable à cela » et la phrase :« Ni rien de semblables aux millions... »*

Corser ainsi ma description des paysages de Terre Jaune, assez ironiste d'ailleurs, assez bout pour bout.

Page 106. *Note en fin de chapitre :*

Ajouter : Le Paysage *dessus* la *face,* paysage concave, enrobant jusqu'aux oreilles sur lesquelles se rabattent les deux lobes latéraux du Ciel. (Voir *Feuilles de Route* à la suite du paysage de la figure de la fille sauvage.)

En marge de la note précédente :

Devenu une Peinture : « Paysage. »

Page 111. *Note en fin de chapitre :*

[Peut-être tout arranger par la nécessité actuelle du *médiocre humain* de la *Chine...*]

Page 115. *Note au crayon se rapportant à la phrase : « Nous n'avons rien rencontré, pas même le pilier funéraire du Père historique ! »*

Si ! J'ai trouvé le pilier de Fong Houan.

Page 117. *Note en fin de chapitre :*

Mieux insister sur cette opposition du début : je croyais trouver aisément les vestiges palpables du bon fonctionnaire, et je ne rencontre que les reliques plus que douteuses de son fil-dieu...

Page 121. *Note au crayon en bas de page :*

Et peut-être que cette reprise inattendue, ce contact direct du passé, est tout le vrai prix et l'enseignement de ce voyage ?

Page 124. *Notes intercalées entre les phrases : « ... un camarade de la vie ! » et : « Et pourtant ce retour est le plus heureux possible. »*

[Une névrose déjà cataloguée : autoscopie.]

[Quant à l'expérience de la déification, elle n'est pas, selon les textes, répétable...]

[Passer ainsi en revue chacun des moments, chacune des étapes du livre, en marquant ici une grande lassitude, un dégoût...]

Page 129. *Note en marge de la phrase : « ... mais en rapport de ce que je l'imaginais ou non. »*

Si ce que j'imaginais se réalise ou non.

Page 131. *Note isolée au haut de la page :*

Observer que l'important est que l'imaginaire et le réel gardent leurs positions imprenables ; *restent différents.*

Page 132. *Note en marge de la phrase : « Je me garde d'une confusion sur les mots. »*

Entendons-nous. Je n'ai appelé Réel que le Palpable... Je pressens un autre Réel...

Page 132. *Note se rapportant à la phrase : « Le débat a eu lieu entre ces deux... »*

Bien insister sur leur *antagonisme* essentiel. Cela au moins est acquis, précieux.

Page 132. *Note en bas de page ajoutée à la phrase : « ... c'est à la Chine que j'emprunterai le sceau formel et l'arrêt du débat. »*

Ayant tenté en vain (ou n'essayant même pas) de symboliser sous des mots le double jeu du voyage, je ne pourrai pas mieux faire que de le symboliser sous *des lignes.*

Page 133. *Note au crayon ajoutée à la phrase : « ... le Réel, toujours sûr de lui. »*

[Mais j'ai dit que le Réel était femme.]

Page 133. *Note en bas de page se rapportant à la phrase : « C'est le sort de bien des symboles. »*

Un symbole, en outre, dont on peut dire que c'est un ni oui ni non, un juste milieu, une ignorance du milieu juste du débat, et l'on n'en disconvient pas... Mais un symbole plaisant à regarder.

Dernière page du manuscrit.

En marge supérieure, citation de Petrucci. Les mots entre crochets ont été ajoutés par Victor Segalen au texte de Petrucci. Mots soulignés par Victor Segalen.
« A la source de l'univers, le Chinois place l'action de deux principes *mâle* et *femelle,* le Yang et le Yin... Le *Dragon...* [(*reptiles et oiseaux*) est l'image du Yang (l'Imaginaire)]. Le *Tigre* est le symbole du principe terrestre, une personnification des quadrupèdes [Le

145

Réel m'a toujours paru quadrupède] opposés aux oiseaux et aux reptiles. » Petrucci, *Les Peintres Chinois*, p. 23.

Note en bas de page se rapportant à la phrase : « Je crois à la figuration d'une simple monnaie, la sapèque chinoise. » Ceci est l'image de ce qui est précieux au-delà de tout : l'Etre. Soit qu'*on* le choisisse en un corps et âme, (qu'on le comprenne) corps et âme — soit qu'on se contente de l'esprit. —

En fin de page et fin de manuscrit :

Achevé d'écrire le 6 février 1915. Le dernier mot manuscrit qui ne soit pas suivi désormais du métal typographique. Dix années d'Imaginaire à couler sans tarder dans la matrice du Réel. —

Sous la signature :   6 février 1915
Relu à Brest 9 novembre 1916.   Victor Segalen.

Etapes

1. *J'ai toujours tenu pour suspects...*   11
2. *Ce n'est point au hasard...*   14
3. *Car j'habite une chambre aux porcelaines.*   17
4. *Tout est prêt, mais ai-je bien le droit...*   19
5. *Les pas sur la route...*   23
6. *L'indispensable petit dieu du voyage...*   26
7. *Me voici enfin à pied d'œuvre...*   28
8. *Le regard par-dessus le col...*   32
9. *Le fleuve dispute à la montagne...*   36
10. *Pour devise...*   50
11. *Quant au réel...*   53
12. *De la sandale et du bâton...*   56
13. *Dans le gros torrent, le bain...*   61
14. *La grande ville au bout du monde...*   64
15. *Le long séjour immobile...*   68
16. *Une chair glorieuse...*   70

17. *L'homme de bât...*   77
18. *La femme, au lit du réel...*   85
19. *Ceux qui « vivent » sur les hauts pla-*   92
    teaux...   94
20. *L'avant-monde et l'arrière-monde...*   103
21. *Je manquerais à tous les devoirs...*   107
22. *Ces apôtres (à la Chine) pourraient être...*   112
23. *Imaginer, sur la foi des textes...*   115
24. *De l'homme ou du dieu...*   118
25. *Moi-même et l'Autre...*   123
26. *Peint sur la soie mobile du retour...*   126
27. *L'Ami trop fidèle...*   128
28. *Pour conclure...*   135

Marginales et variantes

JOURNAL DES ÎLES, Editions du Pacifique.

VOYAGE AU PAYS DU RÉEL, Le Nouveau Commerce.

LES CLINICIENS ÈS LETTRES, Fata Morgana.

LES SYNESTHÉSIES ET L'ÉCOLE SYMBOLISTE, Fata Morgana.

DOSSIER POUR UNE FONDATION SINOLOGIQUE, Rougerie.

PEINTURES, Gallimard, Collection Blanche.

STÈLES. Edition critique commentée et augmentée de plusieurs inédits, établie par Henry Bouillier. Mercure de France.

ÉQUIPÉE. *Voyage au Pays du Réel.* Gallimard, Collection L'Imaginaire.

Composition Bussière
et impression S.E.P.C.
à Saint-Amand (Cher), le 16 novembre 1987.
Dépôt légal : novembre 1987.
1er dépôt légal : février 1983.
Numéro d'imprimeur : 2131.
ISBN 2-07-025369-4. / Imprimé en France.

41970